祇園の教訓

昇る人、
昇りきらずに終わる人

岩崎峰子

幻冬舎

はじめに

京都の祇園甲部という花柳界。そこが私の育った環境です。皆さんにとっては特異な珍しい場所かもしれませんが、五歳の頃から、私の小さな生活圏になりました。

祇園甲部の芸妓置屋「岩崎」の女将《おかみ》がたまたま私を見て、岩崎の跡取りにと望んだのですが、私の家庭には複雑な事情があったのです。昭和三四年一〇月、私が十歳の時、両親と養母、弁護士とともに家庭裁判所に参りました。「岩崎の子になります」と自分の口から言い、その後、正式な手続きを経て、昭和三五年四月一五日から私は岩崎峰子になったのです。

末っ子として両親から可愛がられて育った山科《やましな》の暮らしも温かさに満ちたものでしたが、それとはまた違って祇園甲部には私を引きつけるものがありました。そのひとつが「舞」を舞うことだったのです。

しきたりどおり、数え年の六歳六月六日から井上流家元・四世井上八千代の直弟子《じきでし》として京舞井上流のお稽古と地唄のお稽古を始めました。たちまち舞の世界に魅《み》せられた私は、舞だけは他の何よりも熱心にお稽古しました。小学校での勉強は退屈で、テストの時は時間が余り、鏡文字で答えを書いていたため、担任の先生が「お習字のお稽古をさせてください」と家に言いに来られて、お稽古事がまたひとつ増えるようなありさまでした。私は学校の勉強はそっちのけで、祇園甲部の暮らしに興味を持ち始めたのです。

こんな子ども時代を過ごした後、周囲の人たちの期待を担って、十五歳で舞妓としてデビューしました。二十一歳で襟替えをして芸妓になり、二十九歳で引退するまでの十五年間、毎日休む間もなく数々のお座敷に出ていました。多くのお客様と出会い、先輩や同僚、後輩の芸妓さんたちと一緒にお座敷を勤める華やかな世界。また月に一度の舞台ではたくさんの観客の皆さんから拍手喝采を浴びる毎日を過ごしておりました。

でも内心、私は内向的な性格で人前に出るのが嫌だったのです。今思えば、自分の性格とは逆な仕事をしてきてよかったと感じています。私は元来怠け者なので、自分の好きなことをしていると何時間でも何年間でもズルズルとそれに集中してしまい、何にもなれず「周囲のことなどどうでもよい」と思うようになっていたでしょう。また、自分のことだけを考えるような人間になっていたと思います。

――自分の好きなことをして生きる。それも人生かもしれませんが、私には、そうすることが自分の人生にとってよい結果が出るとは思えませんでした。何でも自分で決めて生きてきたように思っていますが、本当は、どこかで決められていた人生なのかもしれないと今になって思うことがあります。もし私が、舞妓に出ていなかったら、こんなふうに花柳界の本当の姿を皆さんにご紹介するという機会もなかったと思います。

芸妓を引退した後、私は結婚をして子育て（子どもに親として育ててもらったのですが）をし、外から祇園甲部を見ることになりました。そこで感じたのは、花柳界というところが、いかに誤解されているかということです。かなり知識を持った方でも、廓《くるわ》と花柳界の違いを理解できていなかったり、娼婦や売春婦と芸妓、芸者の区別がつかなかったり、花柳界を淫靡な色里と勘違いしている場合が多いようです。外国人のイメージする低級な「フジヤマ芸者」と同じ感覚を持っている人が多く、さらに外国人より悪い印象を持っておられることに私は憤懣《ふんまん》を感じます。花柳界の芸妓は、古典芸能技芸保持を生業《なりわい》とする自立した女性の職業なのです。

昨年秋、私は正しい芸妓の姿を世界中に知っていただくために『Geisha, a Life』という本をアメリカから出版しました。同時にイギリス、ドイツ、スイス、スペインの各国を、五週間かけて十九カ所で、舞、講演、サイン会、インタビュー、ラジオ、テレビ出演などプロモーションに回りました。今年は、フランス、オランダ、ベルギーをはじめポルトガル、スウェーデンなどを回る予定です。おかげさまで、世界中の方が日本の文化である花柳界に注目してくださり、イギリス、スペイン、フランスなど、各国でベストセラーになっております。日本人の生き方、考え方、私たち芸妓のプロフェッショナルとしての仕事が、国や人種を越えて、共感を持って受け入れられることを本当に嬉しく思っております。

花柳界は日本の伝統文化のひとつですが、日本全国を見渡しても特に歴史が古く、規模も大きく格式も高いのが、京都・祇園甲部です。その時々に最も輝いている人たちが集います。私はその方たちを〝お座敷〟という場を通して見てきました。ときめいている人たちはそれぞれに輝いていますが、どこかトップに立つ人特有の共通点があるように感じられました。

また、一時の経済力や権力よりも、本当に一流の人はそれなりの見識や知識、人間としての奥行きの深さを持っていらして、それがトップの座を摑《つか》みとる理由になっているということも勉強させていただきました。そんな方たちとの会話の中から耳学問で勉強して得たことが多々あり、私自身も〝本物〟をめざして自分の精神を磨いてきたと思っています。

この本では、祇園甲部に感化された目や耳、体で感じた「輝く魅力」をお伝えしようと思います。この街に生きた人間が一般の方々にはなかなか理解していただけないという現実があるからです。

花柳界の仕事は、女性の接客業です。皆さん方の仕事や職種と違うのは当然ですが、仕事の上での考え方や人とのおつきあい、ご自身の生き方の参考になるものがこの本の中に見つかれば嬉しいと思います。

祇園の教訓◆目次

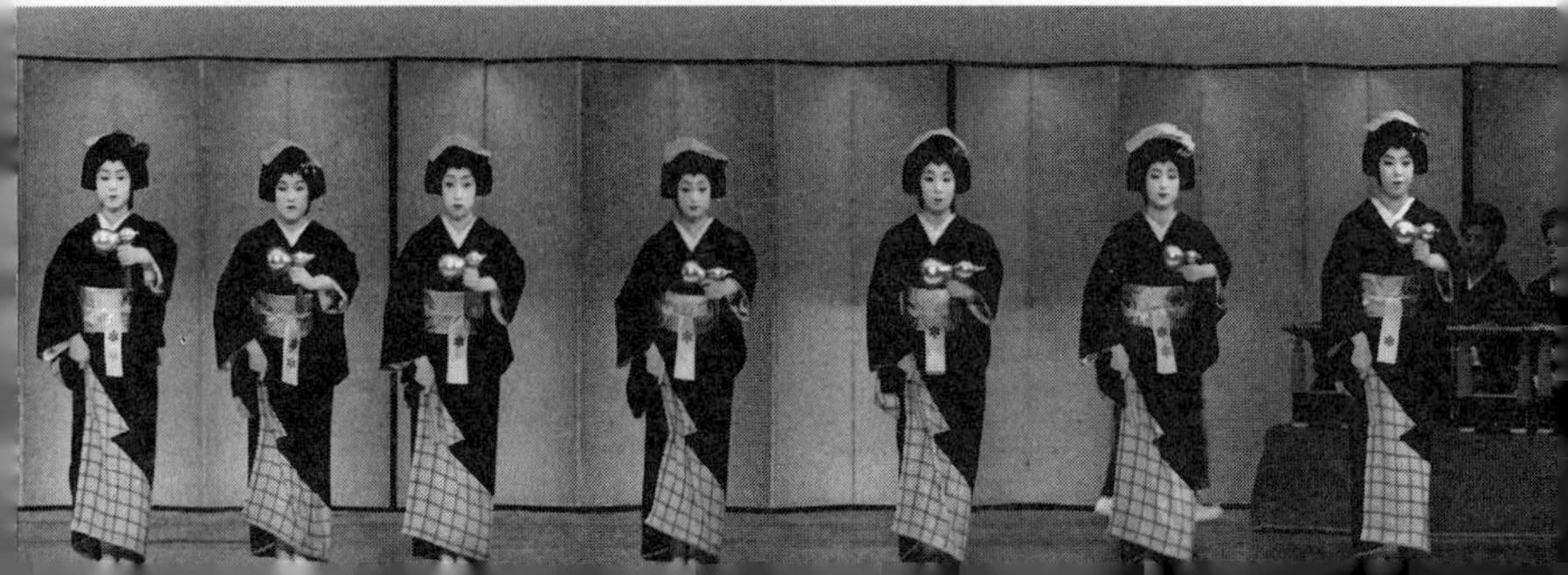

第二章　祇園で通じる一流の人のお金の使い方

第三章　祇園で出会った一流の生き方、考え方

第四章 人の心を引きつける接待術・会話術

第五章　座を盛り上げるための芸妓の会話術

第六章 常にお客様に気を配る芸妓の仕事術

第七章 ツーカーでわかる祇園のチームワーク

第八章 祇園がくれた思い出

装幀　多田和博
本文デザイン　高田恵子

第一章　お座敷で知った、一流になる人の共通点

一生懸命な人には、自然に応援団がつきます

私が祇園甲部の舞妓になった時のことです。お茶屋さんや先輩の姐《ねえ》さん、祇園甲部周辺で商売をしている人たちが私の噂をしているのを多くのお客様が耳にしました。すると、お客様たちはまるで私を以前から知っていたかのように「峰子ちゃんが、舞妓になったんやぁー」と言ってあちこちの方に紹介してくださいました。

その情報は信じられない速さで京都中に知れ渡りました。京都だけではありません。三月に舞妓になって、五月には東京・銀座にある歌舞伎座に出演したのですが、出演後に、葭町《よしちょう》という花柳界に連れていってもらった私はびっくりしました。姐さん方全員が私のことを知っておられたのです。

「あっらー、峰子ちゃん？　あたはち（私たち）あぁーたの噂聞いてたのよ！」

「おぉーきに」

「そんでねぇーえ、あぁーなちゃって、こんななちゃって、どんなだろー。てっさ」

「むーん？」（なんのこっちゃ？？？）

と、早口の東京弁が聞き取れなかったので、どんな話かはまったくわかりませんでしたが、東京でも私を応援してくださっているのだということはよくわかりました。応援してくれる人がいるということに、私は勇気を与えられました。

それで、私もお座敷にいらっしゃるお客様を応援しようと思い、お客様のことをよく観察するようになりました。

多くのお座敷でたくさんのお客様とお目にかかってきましたが皆様、それぞれに素晴らしい才能や輝きのある方ばかりです。

そんな中、お客様が自分の弟子にあたる人や学校の生徒、会社の後輩を連れていらっしゃることがあります。お客様は「今日は学割にしといてや」と明るく笑いながら、若い人を大切にされます。「わしの後輩やさかい、よろしぃ頼むわ」と自分の気風《きっぷ》のよさを見せ、私たちにご紹介されます。将来、若い人もご自分のように、花柳界で遊べるようにとの心遣いからでしょう。

一緒にお見えになった若い方の中には、粗削りながらパワーがあり、将来、日本を背負って立つのではないかと思わせる人が大勢いらっしゃいました。私たちの中で噂が立つと、他の花柳界もその方に注目するようになり、応援するのです。

一番早く噂になるのはやはり祇園甲部のようですが、全国の一流地と呼ばれる花柳界からも噂が流れてきます。私たちがお客様にお目にかかって、「この人、これから偉《えろ》ぉならはんにゃわ。絶対やし」という予想はだいたい当たります。一種の勘のようなものが働くのですが、今思い返してみると、共通点があることに気づきました。

昇っていく人の共通点、それは一生懸命なこと、好奇心があること、何にでも興味を持っていること、生活に美意識を持っていることです。静かに座っていても、それぞれの方が独特の存在感を感じさせましたし、人間として非常に魅力的なことでした。仕事の他に趣味をお持ちの方は、若くてもお話に深みがあって、私たちも勉強になりました。でも基本的に「何にでも、一生懸命やなぁ」ということが伝わる方は「うちらで、応援しょ」と思わせる何かがあるのです。

もの静かで謙虚な稲盛和夫さん

その代表的な方が京セラを創立した稲盛和夫さんです。

稲盛さんが祇園甲部に最初においでになったのは、先輩とご一緒で、その方のご紹介でした。

腰が低くて、もの静かで謙虚な方という第一印象でしたが、どこか他の方と違っているものがありました。若いせいもあり、当時の京都では地味な存在でしたが、私たちはお人柄のよさを感じて密《ひそ》かに応援していました。

その後、独立されて会社を興してからは皆さんがご存じのとおり、急成長を遂げられました。祇園甲部のお茶屋さんのおかあさんや舞妓、芸妓の間で人気のある方は、仕事の上でも引き立ててくれる方々をたくさんお持ちのようです。よい先輩に恵まれて伸びていくのはもちろん、自分の努力なしにはできないことなのです。

お金持ちであっても人気のない人もいます。それは、私たちから見るとコショコショしている人です。どこかシミッタレた感じで、横柄さが目立ち、お金の使い方に細かく、人としての重みがないのです。

その方たちの特徴は、自分の思ったことを単刀直入に言ってしまうことです。「もうちょっと違う言い方があるやろにぃ」と思うくらいストレートに人を傷つけるような言い方をなさいます。

「自分が相手の立場に立ったらええにゃん」と内心はらはらしたことが何回かあります。お金はあるものの自分に自信がないのでしょう。小さい時からお金があると基本的に努力しないですみますので、結果的にかわいそうな人を作り出すのかもしれません。

豪放磊落な本田宗一郎さん

ホンダの創業者、本田宗一郎さんは話し上手で、しゃれのきく楽しい方でした。お座敷ではまるでガキ大将のように「今度はこれをして遊ぼうよ」などと率先して私たちを誘います。

今でも、みんなでわいわい騒いで楽しかったお座敷のことを思い出します。会社の方と大勢でお見えになることもあり、部下の方に対しても、「いつもごくろうさま」とねぎらいの言葉をかけていらっしゃいました。また、仕事上のパートナーだった藤沢武夫さんと「今日は二人で遊びに来たんだよ」という風情でいらしたこともたびたびありました。

本田さんの体からは、オーラが見えたような気がしました。ぱーっと大きな光が放たれているようで、大きな存在感を感じました。本田さんのオーラは温かいものでしたので、そばにいる私たちにまでパワーが伝わってきて、みんな元気になるのです。

ある日、会社の幹部の方々を連れられていらした時のことです。いつもとまったく表情が違うのです。どうやらお仕事のことで問題があったらしく、お茶屋さんに幹部の方を集めて緊急の会議が開かれることになりました（祇園甲部の中のことは外には漏れませんので時々、そんな重要な会議が開かれることがあります）。その時の本田さんのオーラは、いつもと打って変わって尖《とが》っていました。ピリピリしていて触れたら感電してしまうのではないかと思うような厳しいものでした。

張り詰めた数時間が経《た》ち、その会議が終わって私たちがお座敷に入っていくと、にこにことした元の本田さんに戻っていらっしゃいました。私たちは、まるで魔法にかかったようでした。


舞妓時代のことです。本田さんのお座敷で、乗り物の話が出ました。

「峰子ちゃんね、おれは自転車屋なんだよ。自転車乗れる？　乗れるんだったら自転車あげるんだけどなぁ？」

「おぉーきに。そやけどうちは自転車の運転ができしまへんねん」

小さい頃から置屋の跡取りとして大事に育てられた私は、おかあちゃんから「ケガをしたらあかんさかい、スキーもスケートもあきまへん。まして、自転車なんぞなりの悪い。

乗ったらあきまへん」と言われてきたのです。

「そうかあ。じゃあ、オートバイはどうだ」

「屋根がついてへんし、あぶないと思いまっさかいけっこどす。おぉーきにぃ」

「そうかあ。じゃあ、車はどう？」

「免許を取らなあきまへんやろぉ、ほんでうちは方向音痴やし車に乗っても、どうしてそこへ行ったらええのかわからしまへん」

と言うと、本田さんは、

「それなら地図をつけてあげよう。運転しているとその場で行き先を教えてくれる地図だ。そんな地図がそのうちにできるから」

とおっしゃいます。

「それやったら便利どすね。ほな免許取って地図のついたホンダの車買いますわぁ」

とお答えしました。

「買ってくれるの？　そりゃあ、嬉しいな」

と笑っていらっしゃいました。

今から約三十数年も前のことです。本田さんが地図と言ったのは今でいうカーナビゲーションシステムのことです。当時から研究が進められていてその話をしてくださったのです。私は結局、学科試験は合格したものの、実技になると胃けいれんが起きるほど運転が苦手で免許は取らずじまいだったのですが、十年前頃からカーナビが世の中に登場して、「こんなものができてすごい」「とても便利だ」という世間の人の噂を聞いた時、「へぇみな、知らへんかったんやぁー」、「えらいでき上がんのが遅かったんやなぁ」と思いました。同じように「世界中の情報がすぐ手に入ったり、連絡し合えるシステム」、インターネットのこともずっと前から知っていましたし、その頃聞いていていてそういえば、まだ実用化されていないものもあるのです。「あの話はどうなってんにゃろ?」と新製品の登場を楽しみにしています。

お座敷、三味線、芸妓、舞妓という日本的なしつらいの中で、世界の最先端の技術が話題になり、一日あればどんなことでも全国の花柳界に知れ渡るという不思議な場所が花柳界です。逆に、そういう世界の動きを知らない花柳界は、花柳界とは言えないのです。

義理と人情の人、佐治敬三さん

関西の三大ケチの一人と自称していたサントリーの佐治敬三さんからはたいへんご贔屓《ひいき》にしていただきました。ご自身、「わしは、ケチやねん」とよく言っておられ、何かメモをとる時も、

「紙もろて、ペン貸して」

「わかりました」

「あのなぁ、人に紙もろてペンを借りるとインクが減らへんやろ」

といつも冗談を言っておられました。

私は二十六歳の時、祇園にお店を出したのですが、開店すると早速、佐治さんもおいでになりました。

「サントリーリザーブ入れといて」

「佐治さんお兄さん、ケチと違ぉたんどすか？」

と聞くと、

「あんたの店やさかいなぁ、ちょっとええカッコしたんやがなぁ」

「そやけど、店のもんはサントリーオールドいただいてまっせ」

「そぉかー、ほな、わしもオールドにしよか？」

「そらそぉーどっしゃん。そぉーおしやす」

と言ってお店で使っているオールドを出しました。その時、偶然、鳥居道夫（佐治敬三さんの弟）さんがお店に来られました。オールドを飲んでいる佐治さんを見て、

「あのなぁ、峰ちゃんの店でオールド飲むちゅう神経が、わからんわ。せめて山崎にしたらどうえ？」

「そやけど、峰ちゃんがオールド飲みよして言うたさかい、飲んでんにゃないかぁー」

「わしは、ロイヤルか山崎にするわ」

「勝手に飲んでたらええがな。わしは、オールド飲んでるさかい、気にせんでもええでぇ」

「ほな、わしは山崎にしとくわ」

「おぉきにぃ」

この日、佐治敬三さんはお店のオールドをおいしそうに飲んでおられました。いつもお世話になっていたのでお代金はいただきませんでした。

でも、次にお店にお見えになった時は、大勢の方を連れておいでになり、山崎を二本も召し上がっていただきました。佐治さんからは義理や人情の大切さを教えていただいたと思っています。ケチと自称している佐治さんですが、それは周囲の人をなごませ、楽しませるユーモラスなケチです。普段の生活は質素でも、大きなお仕事をする時のスケールの大きさには私は尊敬の念を抱《いだ》いていました。

苦労を顔に出さない塚本幸一さん

誰でも仕事をしている間には苦境に陥ることがあります。

そんな時の苦労が花を咲かせるのだといろいろな方々を見ていてつくづく思います。ワコールの創業者、塚本幸一さんからは若い頃のお話をよく伺いました。

太平洋戦争に従軍して、戦友がそばで倒れていく中、間一髪で命を取り留めた話、また、創業時代には取り引きしてもらうために、「パンツ屋ですぅー」と一軒一軒自転車でお店を訪ね歩いたお話などです。その時は奥様も一緒になって商品を売り歩いたそうです。

その甲斐あって今のワコールができたのですが、そんな苦労はみじんも感じさせず、いつも明るく、若々しく、細かい気配りをされる方でした。

祇園甲部のご贔屓の中には、世の中の変動に影響されて、苦境に立たされる方も大勢いらっしゃいます。祇園甲部から足が遠のいていても、久しぶりにお座敷がかかって伺うと、以前より一回り大きくなられたようにお見受けすることがあります。変わらぬ笑顔を振りまいておいでになり、そんな時はほっといたしました。

無理難題を越えられたお顔立ちになられ、以前よりもずーとパワーが増したようでした。

それを、苦労が身につくというのでしょう。

反対に、苦労が身につかない方がいらっしゃいます。それは「人ができないような苦労をしてきた」とおっしゃる方です。そんな方に限って苦労がお顔に出て「なーんにも苦労なんかしたあーらへんやん。あほくさ！」ということになります。

誰に対しても誠実な湯川秀樹先生

二〇〇二年の秋、欧米七カ国で発売した著書『Geisha, a Life』のプロモーションのためにアメリカのロスアンジェルスの大きな書店に行った時のことです。そこでは、大人や子どもが夢中になって本を読んでいました。欧米の書店では立ち読みができ、座るベンチも用意されているのです。

そして、いざ、私の舞のイベントが始まると、三歳から十二歳ぐらいの子どもたちが周りに寄ってきて静かに舞を見ています。ふと気がつくとその子どもたちが私と一緒に踊っていたのです。感激しました。終わると「ヒューヒュー」と声をかけてくれ、大きな拍手もしてくれました。

舞が終わり、「シガレットタイム」と言って外に出ようとすると、その子どもたちがドアを開けながら「ドォージョー」と慣れない日本語で言ってくれました。私は涙が出てその子どもたちを抱きしめていました。こんなに感動したことはありません。音楽や舞踊、その他の芸術に言葉はいらないなあと実感しました。ですから、子どもだからといって子ども扱いせず、一人の人間として接することが人望のもとだと思います。

現役時代に私が尊敬していたお客様には、相手の年齢にかかわらずていねいに接してくださった方がたくさんいらっしゃいました。私のご贔屓にはお年を召した方が多かったのですが、その方たちから見れば私はちょうど孫の世代。でもご自分の知識を上手に説明してくださるのです。

舞妓の頃、日本人で初めてノーベル物理学賞を受賞した湯川秀樹博士のお座敷でのことです。湯川博士はお酒が入ると居眠りする癖があります。

「センセ、センセ、センセ。寝たはる場合と違いますて。なんでセンセみたいな人がノーベル賞もらえますのん。ノーメル賞とちがうにゃろか？　ほんで中性子って何のことどす？」

などと質問攻めにしていました。でも、湯川先生は、

「中性子ちゅうのはね、目には見えへんけど宇宙に存在する物質でなぁ、説明すんのが難しいにゃけど、たいへんなんやけどな」

とかおっしゃりながらも一生懸命わかりやすく説明してくださいました。残念なことにその説明はすっかり忘れてしまいましたが、懸命に説明してくださった思慮深いお姿が今

でも思い出として残っています。

私が心の師と仰ぐ、哲学者の谷川徹三先生も素晴らしい方でした。最初のお座敷に伺った時すぐ、私は先生のファンになりました。聞いたことを何でもわかりやすくお話ししてくださるので感激したのです。中でも印象に残っている言葉は、

「峰子ちゃん、物事はね、感じたままでいいんだよ」

ということ。

現役を引退してからも、かつてのご贔屓のお客様とお食事に行ったりすることがあります。そんな時は前もってお電話で、

「甚一郎さん（主人）はいいの？」と聞いてくださり、待ち合わせ場所に行くと、

「だいじょうぶ？」

「どうもないの」と言うと、

「じゃあ安心だ。久しぶりに遊ぼう」と大いに楽しみます。

私の側に立って気配りしてくださる配慮がありがたいのです。こういう方々は、下足番、お燗番、運転手さんにも私たちに使われる言葉でお話をなさいますので、花柳界では人気があります。そして、花柳界で人気のある人は仕事の世界でも人望があるようです。

そういう方々は、疑問に思うことを肩書きのある方や年上の方に対して素直な気持ちで質問されるので、大切な情報が集まり、どんどん吸収し、納得されるのです。

ある時、お茶席に若いお客様がお見えになりました。しかも、お正客です。この方を自宅に接待なさった北村美術館の北村さんは、

「今日は、峰子ちゃんが来てくれたさかい、あがらんと何でも峰子ちゃんに聞いたらええわ」

「ほんまにーぃ！」

と思っていたところにお正客のお若い方が、

「峰子ちゃん、聞きたいことがあるんだけど」

「えらいすんまへんけど、気安すぅ峰子ちゃんて呼ばんといてほしい。み・ね・こ・さんて呼んどくれやす」

「どうも、すみません」

「わかったら、よろし。ほんで、何どした？」

「峰子さん、お正客はどうしていればいいんですか？」

「されるが、まま、がよろしおす。うちが、するようにおしやす。よろしおすか？　一瞬どっせ」

「はい、わかりました」

その方は、私がするままに何でもなさいましたので、お若いお客様も、ご招待なさった北村さんもたいへん喜んでくださいました。

私は、小さい時から家元・四世井上八千代に「人にものを習う時は、素直な気持ちにならなあかん」のが、一番だと教えられてきました。本当にそうだと思います。

小説のモデルにしていただいた、有吉佐和子さん

私は男性のお客様より、女性のお客様のお座敷の方が気楽で好きでした。祇園甲部にいらっしゃるような女性は皆さん、実力で地位を築いておられる方が多いので、私たちの仕事に対してもよく理解を示してくださり、お話がしやすいのです。

ただ、ちょっと気難しい方もいらっしゃいました。その代表格が有吉佐和子さんでした。お座敷に伺って、お話ししてもあまりお話し下さらず、黙ったまま座っていらっしゃるので、

「難しい人やなぁ」

と思って私たちは勝手にしゃべっていました。私たちの話を聞いておられるのか、おられないのか、つまらなさそうな顔をしていらっしゃるので、

「やっぱり、うちらの話がおもしろないにゃわぁ。どぉーしたら笑ろてくれはんにゃろ？」

と思いながらも、そのままにしておきました。そして有吉先生がどのような方なのかを知るためにお書きになった小説を買って読んで見ると、

「いっやー、びっくりした！」

私たちが話していたことをもとに、先生の感覚で花柳界の姿が見事に描かれていたのです。

特に『芝桜』では、私たちが内緒にしているハゲの話まで書かれていました（舞妓は日本髪を地毛で結うので頭のテッペンに十円玉ぐらいのハゲができるという話、悲しいかなこれも舞妓という職業柄です）。

「いやっ、センセ、ちゃんと聞いたはったんやわ」

と思ったのも後の祭り。花柳界の姿が正しく描かれた『芝桜』は私の大好きな小説となり、少しはモデルとしてお役に立てたのかと思い、嬉しい気持ちです。

仕事ができる人ほど現場が好きです

企業の幹部の方は上に行けば行くほど現場から遠ざかるそうです。会社の会議室ですべてを決めて済むこともあるのでしょうが、私が見る限り、現場が好きな上の方の会社ほど活気があるように思えます。

大きな造園業を営む方もそうでした。高齢になっても現役として現場に出ていて、仕事の帰りにはふらっと懇意にしているお茶屋さんに立ち寄ります。

いつもは粋《いき》な着流しでお座敷に上がられるのですが、仕事帰りの時は地下足袋《じかたび》を履いて「脱ぐのがめんどくさいにゃ」とそのままお茶屋さんの水屋（台所）に腰をかけ、お料理とお銚子を運んでもらい、気持ちよさそうに飲んでいらっしゃいます。

「お疲れやす。今日はそのままおいでやしたんどすねぇ」

「そやにゃ。どや忙ししてんのか？」

「あきまへんねぇ。暇どすわ。どぉーしたら忙しなんにゃろぉ」

「峰ちゃんが、暇やったらみんな暇やわい」

「そーかて暇やもん。お座敷、呼んでほしい。水屋で飲んだはるさかい、うちらお花代もらえへんにゃもん」

「そらそやな。ほな、今日は御祝儀だけにしといてんか。今度はお花かけるさかい」

と言って腰に下げた信玄袋から御祝儀を出されます。信玄袋をちょっとのぞいてみるとお金がギッシリ入っているのが見えました。御祝儀をくださるのも嬉しいのですが、いつまでも現役の庭師としてお仕事するそのお客様をお茶屋のおかあさんはじめ皆が尊敬していました。素敵なおじいさんでした。

ある大きな建築会社の社長も現場が大好きな方でした。もともと大学も建築科で社長業より設計の仕事のほうが性に合っているのだそうです。

私が家を建てる時、そのことをちょっと話したら、

「へえ。どんな家？　どこに建てるの？」

と目を輝かせて聞くのです。

「岩倉ちゅうとこ、岩倉具視の岩倉やし」

「土地を見せて」

と言って忙しいスケジュールを縫って本当に見に来ました。

「どんな家にしたいの？」と聞くので、

「設計して家建ててくれはりますのん？」

「嬉しい、嬉しい。で、設計代はもらえるんだよね」と言うので、

「なんで、うちが設計料も払て家建てなあきまへんのん。自分が設計したいのどっしゃろ？　ほな、ただに決まってまっしゃん」

と言うとさすがに黙ってしまいましたが。

どんなに会社が大きくなっても皆さん「作る」ことを大事にしていらっしゃるのだなと感心しました。

交渉の席は、即断即決

祇園甲部のお座敷で極秘の会議が開かれることがあります。会社対会社の業務提携や、時には合併の話などの秘密もここなら外に漏れることがないからです。

そんなお座敷に私も呼ばれたことがあります。入り口近くに〝祇園甲部のガードマン（ウーマン？）〟よろしく一人で座り、お話には耳を傾けず、じいっと〝壁〟や〝空気〟に徹してお話が終わるのを待ちます。花柳界の鉄則ですので内容はお話しできませんが、そんな会議でひとつ納得したことがあります。

トップ同士というのは案外率直に、腹を割ってお話をなさいます。手の内を隠したり、お腹《なか》の中では別のことを考えていて、自分側に有利に事を運ぼうと画策するものだと思いがちですが、そんなことはなく、端的にいえば、

「うちはこれこれこうです。そちらはどうですか」

「うちはこれこれです」

「それならこうしませんか」

「いいでしょう」

　みたいな率直なやりとりが多いのです。交渉事というものは大きければ大きいほどそうでなくては、決まらないのかもしれません。思い切りのよさにも目をみはるものがありました。企業同士の取り引きの場でのことでした。

　会社のトップの方がお話を始めたのですが、もう一方の会社の方はなかなかそれに興味を示さなかったようです。すると、最初にお話を始めた方が、

「そうですか。わかりました」で会議を打ち切り、それまで壁や空気に徹していた私のほうを見て、

「じゃ、よろしく」と言って、すぐさま宴会に移る用意をさせたのです。

「実に、あっさりしたもんやにゃなぁ」とあっけにとられました。それまでの交渉事などなかったかのような賑やかさで、宴会は大いに盛り上がってお開きになりました。

　しかし、一見、これで終わりになったかのような交渉事が、この後も水面下でつながっており、その成果が数年後に表に出ることがあります。トップ同士のあうんの呼吸とでもいうのでしょうか。人とのつながりというのは不思議だと思います。

「さぼる」ことにも意味があります

花柳界は夜だけの営業というイメージがありますが、そんなことはありません。朝からお座敷ということもありますし、昼だって営業しています。

ある会社の社長さんが、昼にふらっとお茶屋さんにやってきて、

「ちょっと昼寝さしてんか」

とお座敷でゴロンと横になって、ぐうぐう寝ていらっしゃいました。お茶屋さんのおかあさんも放っておくのですが、いつまでも寝てらっしゃるので、おかあさんに頼まれて私が起こしに行ったこともありました。

「寝たはってもええのどすか？　会社はどうしたはりますのん？」

半目を開けて、

「今日は会議やさかいええにゃ」

とむにゃむにゃ。

「会議やさかい、出なあかんのとちがうのどすか？」

「ええにゃ、ええにゃてぇー」ばかりなので、最後の手段で、

「お供、待ったはりまっせ」と言うと、ハッと起き上がりざま、

「車、呼んだんか」

「嘘やしぃ」

「なぁーんや」

とおっしゃってまた寝てしまわれました。

「ほんまにだらしない社長さんやわ。こんなんでええにゃろか？」

と思ったのですが、実はこの方はわざと会議を抜けていらしたのです。

別の会社のオーナーがお見えになった時、そのことがわかりました。

「会議、さぼってきたー」とおっしゃる方に、

「なんでどす？」と聞くと、

「わしがいるとみんなで話ができひんさかいさぼったんや。後でまとまったもんを聞いたら、それでええにゃ」

とおっしゃいます。

トップがいなくても大丈夫と判断した場合はすっぱり抜けて、若手の人に自由に決めてもらうというのも上に立つ者の役目。いつまでも上の者が細かく指図すると将来有望な芽を摘んでしまうことがあるのだそうです。上に立つ人とは、人を信頼して仕事を任せられる人なのだと理解したエピソードです。

花には早咲きと遅咲きがあります

「トップになる人は天性のものを持っているのでしょうか」

と尋ねられたことがあります。答えは「イエス」でもあるし「ノー」でもあります。

確かに、トップになる人は最初から何もかも揃《そろ》っていますし、スケールも大きく、すでにオーラが出ている方もいらっしゃいます。しかし、最初はそうでもないなと感じさせて、突然、グンと伸びる人もいます。お客様の中にはそういった可能性を秘めた方が大勢いらっしゃいますが、舞の世界でも急に成長を遂げる方がいて驚かされることがあります。

私より少し先輩のある芸妓さんはいつも優しくおっとりと、「ええの、私はここでええの」とでも言うように、おとなしく欲がないように見えた芸妓さんで私と仲良しでした。その姐さんがある年の「温習会」で大きな役がポンとついたのです。姐さんは「えーっ、舞えるやろかぁ」などと自信なさそうだったのですが、いざ舞台を見たら、「へぇっ、この人、こんな舞が上手やったんや。今までうちは姐さんのどこを見てたんやろ」と思うぐらいの素晴らしい出来栄えでした。ちょうど彼女が二十歳《はたち》ぐらいの時で、六歳からコツコツと舞のお稽古を始めてきた成果がぽーんと花を咲かせたという感じでした。

思うに、これは人知れず積み重ねてきたことが大きな仕事を与えられたことで伸びたのだと思います。彼女が地道にお稽古をしている姿を見てきたお師匠さんが、チャンスを与えることで、大きな花を咲かせたともいえるでしょう。

別の姐さんの舞台でも同じことを経験しました。私の九年先輩で今も現役で祇園甲部の重責を担っておられるKさん姐さんが、井上流の子どもや素人《しろうと》さんの会「弁天会」で「浦島」を舞った時のことです。この姐さんも美人で、控えめで非常に賢い方です。私は姐さんの大ファンでしたので客席から拝見しました。「浦島」は井上流では大役です。姐さんが十五歳ぐらいだったので私は六歳ぐらいだったでしょう。

舞台の前に走り寄り、舞扇を頭越しに放り投げ、す速く後ろでそれを受け止めるという離れ技をやりとげたのです。私は鳥肌が立つほど感動しました。

花には、早咲きと遅咲きがあるように、その人なりの成長の仕方があるのだと思います。それには「もうここまできたら、はじけるしかない」というところまで勉強することが大事なのでしょうか。

調子が悪い時にこそ、耐える力が備わります

お座敷に入った途端、「いつもと違うなぁ？」と感じることがありました。

お座敷に伺うとお客様が四人、コの字に座っていました。その中でいつもご贔屓いただいている方が、なんとなく元気がないのに気がつきました。どなたも気がつかないようでしたが、私にしてみれば「いつものオーラは？」という感じで、オーラが見えないのです。「何ぞあったんどすか？」と小声で尋ねてみました。すると、その方は私を控えの間に呼んで、

「実は周囲の人が心配するのでね、対外的にも影響が出るし公表はしていないんだけど、手術したんだよ。よくわかったねぇ。誰にも言っちゃだめだよ」

「そやったんやぁ。なんの？」

「肺がん」

「ふーん、それって痛かったんどすか？」

「わかんなかったよ」

「そやにゃぁ。そやけど、治ってよろしおしたねぇ」

「まだ、治ったかどうかわかんないよ」

「なんで？　手術してもらわはったんどっしゃろ？」

「だけど、治るのに何年かかかるんだって、手術したばかりだから」

「どうもおへんて、憎まれ子、世にはばかるて言いますやん」

と話しながら、やはりそうだったのかと納得しました。

長い間、仕事をしていれば順調な時ばかりとは限りません。

お客様の中でも、「近年、ちょっと疲れたはんにゃろか？」と感じる方もおいでになります。そういう時は案の定、仕事がうまくいっていないことが多いのですが、そうしているうちにまた、峠を越えられたように元気になってオーラ復活！

そんな方の一人にスランプから脱出する秘訣を尋ねたことがあります。

「ダメな時にあがいてはいけないけれど、あきらめてもいけない。ただできることをひとつひとつ努力するだけだ」とおっしゃったのです。なるほどと思いました。それなら私もよく経験していることだったのです。

祇園甲部の舞妓・芸妓は誰もが、舞は井上流を稽古することになっていて、私も六歳の六月六日からお稽古を始めました。

毎日朝八時半にはお稽古場に行き、大きいお師匠さん（四世井上八千代師）にお稽古をつけてもらい、夜はお座敷が終わってから、自分の部屋で一人でお稽古してから就寝するという日課を毎日続けていました。それでもなかなか思うように舞うことができなくて壁にぶつかることが何回もありました。

「なんでここができひんにゃろ。なにが悪いにゃろ？」

と悩む時期が何度も何度もありました。そんなときは稽古して稽古して稽古して、ただひたすらお稽古に没頭するしかないのです。そうしているうちになんとなくわかってきて、「これやにゃ」と思うことがあります。

仕事も芸事と同じだと思うのです。わかっている人は難しい話をやさしく解説できますし、また、そういう人はたくさんの壁や峠を越えて自分の道を歩んでこられた方ですので、人に優しくできるのです。

一流の男性ほど、目立たないお洒落をしています

ご贔屓にしていただいている会社の社長さんの話です。どなたかを接待する場合に着るスーツはいつも濃紺の同じ型で「同じスーツやにゃろか？　いつも」と思ってよく観察してみると、地模様が毎回違います。高級な服地を使ったよい仕立てのスーツでした。

「このスーツ、この前着たはったんと違うと思うけんど」と言うと、「わかる？」と言って喜ばれました。お洒落《しゃれ》をしていませんという顔をして、さりげなくお洒落を楽しんでいる人が、人に清潔な感じを与えるのだと思います。

何度か見たことがあるのですが、豪華なデザインの時計をしてブレスレットも指輪もしてネクタイピンもしてというように、飾り立ててくるお客様もいらっしゃいましたが、「この人は、そぅーそぅお金を持ったぁーらへん人やわぁ」と私は思いました。この勘はハズれてはいませんでした。

若いサラリーマンの方も、好ましい服装をしようと勉強するなら、まず濃紺のスーツか

ダークスーツを清潔に着こなしてみるといいと思います。高価なブランドでなくても量販店のスーツでいいのです。濃紺のスーツやダークスーツを上手に着こなせたら、大人の男性の資格を、半分ぐらい得たことになるのではないでしょうか。

濃紺のスーツ、ダークスーツがびしっと決まると上品に見えます。また、プライベートな場ではネクタイだけでも変えると気分転換ができます。

粋人で知られた方は、ネクタイとYシャツをたくさん持っていらっしゃいました。お客様を接待する時は地味なネクタイでしたが、プライベートでお座敷にいらっしゃる時はお気に入りのブランドの新柄ネクタイを締めていました。カフスボタンを翡翠《ひすい》にしている方もいらっしゃいました。仕事場では地味なもの、気軽な遊びの場では華やかなものと気分を変えるのがお洒落です。また、スーツを粋に着こなすにはポケットチーフを使うと華やぎます。

ネクタイの色から一色取って、シルクのチーフをポケットに挿します。なければ白の木綿のハンカチでもいいでしょう。「粋」という言葉は、「美意識をふまえた生活理念」という意味です。人から自分がどのように見えているか、清潔に見えているかどうかということが問題なのです。

服装で相手への思いやりが伝わります

仕事の場ではきちんとした服装で、遊びの場では少しくだけたもので、と切り替えられる人が大人だと思います。そのルールを守らないと、人には軽薄な人という印象を与えますし、信頼を失うこともあります。

ある時、お若い方をある会社のオーナーに紹介することになりました。若い方は私に、「何を着ていったらいいでしょうか？　ネクタイはどうしたらいいでしょうか？」と事前に問い合わせがありましたので、「濃紺のスーツかダークスーツがえぇと思います。ネクタイも若い方には地味なほうがよろしおす」とお答えしました。

当日、お茶屋さんにその方を待たせ、私が外でそのオーナーの方を待っていると、向こうからやってくるのが見えました。私はそれを見てびっくり。ゴルフの帰りらしく赤いゴルフズボンに、派手な柄のシャツという出立ちです。年齢に関係なく初めての方をご紹介するのにたいへん失礼なことだと感じたのです。

幸い長年のおつきあいで気心も知れている方でしたので、
「嘘くさいわぁ、ちょっとそれてカジュアルすぎると思いますけんどぉ？　なんぼ、相手がお若い方でも今日が初めてのご紹介やし失礼になりまっしゃろぉ」と言って、同行していた秘書の方に頼んで車に置いてあるという上着を持ってきてもらいました。

確かに、相手は若い方ですので、ラフな格好でもかまわないと思われたのかもしれません。でも、この場合、初対面の方に対してはそれなりに敬意を表するべきだと思います。いつでもどんな人に会うかわかりません。この出会いが生涯を左右することもあるのです。それを考えると初対面の時こそ、礼儀を持って接するべきだと思いますし、また、仲介に立つ私の立場も考えてほしいと思いました。

靴を見るとその人の生活がわかります

身だしなみで大事なポイントは何かと尋ねられたら、私は「足元」と答えます。いくら高級なスーツや着物を着ていても、靴や草履《ぞうり》が汚れていると「その人となり」がわかるといいます。祇園甲部にいらっしゃるお客様はどの方もキチンとした靴を履いていらしゃるので、くたびれた靴を履いている方はいらっしゃいません。下足番のおっちゃんに聞くと、靴でその人がわかるというのは本当のことらしいのです。

下足番のおっちゃんというのは一流のお茶屋さんや料亭に必ず待機していて、お客様の靴を管理している人です。たいていは長年そのお茶屋さんに勤めていて、お客様の靴を日頃からよく見ています。

イギリスのエリザベス女王様が来日された時、たまたま下足番のおっちゃんに岡持ちに入った女王様の靴を見せてもらったのですが、黒のサテンにダイヤモンドが七個ずつもついていました。さすがに「太陽の沈まない国」と言われた大英帝国の女王様ならではの靴だと思いましたが、冥加《みょうが》に余ると思いました。

こんなこともありました。

ある日、いつもは黙って靴を揃える下足番のおっちゃんが、ある会社の社長をしているお客様に、「社長さん、後生どっさかい、早いとこお医者はんに行っとくれやす」と頼んだのです。長年、そのお客様の靴を見ていたおっちゃんが、ここ一カ月、靴の減り方がいつもと違うと感じ、思い切ってお話ししたのです。

「どっこも悪いことないのになあ」と不審に思いながらも、そのお客様が病院に行って精密検査をすると、果たして、肝臓に異変が見つかったということです。早期発見ができたのでその方は今もお元気に仕事をしていらっしゃいます。

医学知識もないおっちゃんなのに、プロの目はさすがだと感心しました。

「わけはわからへんにゃけど、靴の減り方でわかんねん」とおっちゃんは言います。やはり、靴を見ればその人がわかるというのは本当なのです。

第二章　祇園で通じる一流の人のお金の使い方

トップに立つ人ほど質素な生活を心得ています

「びっくりしたよ」と大きな建設会社のオーナーのBさんがおっしゃるので、私のほうも「何で?」と言いました。

ある日、お友達数人に誘われて東京の有名な料亭にご飯を食べに行ったそうです。いざお勘定となって、彼が請求書を見ると「数十万円」となっていたそうなのです。

「え?」驚いたものの自腹で支払ったBさんは、

「高かったよー、高いねえ」と私に問いかけます。

その料亭は非常に有名なお店で、一客十万円なのです。しかし、その時間とお料理、お座敷などを考えると決して高いとは言えません。数人で行って折半したものの十万円という お値段に、彼は、

「いつも、会社が払ってたからわからなかったんだよ」

「よかったねぇ。あのお店やったらそれぐらいはしますわ。そんなん高いことおへんや

ん」と私が言うと、

「そうかなあ」とさかんに首をかしげています。

Bさんは五十代。会社はとても大きな会社です。そのオーナーが十万円でびっくりしているなんて、と笑ってしまうと同時に何か微笑《ほほえ》ましい気もしました。

上に立つ人ほど普通の生活を知っていることが、部下への思いやりとして表れるのではないかと思います。この経験をなさったことはBさんにとってよかったと思います。

出すべきお金は惜しまずに出します

お金は大切なものですが、出すべき時に惜しむとそのかわりに大切なものをなくすことになります。

「岩崎」のおかあちゃんはいつも、「使うところを間違うとお金は死に金になる。出し汚いことをするのは『岩崎』のしきたりと違う。お金は有効に使わんと『岩崎』の顔がない」と言っていました。

出すべきお金を惜しんで信用をなくすことは避けなければなりません。こんなことがありました。

Tさんというバーのママに一カ月も懇願されてお店を手伝うことになった時のことです。私を訪ねて古いお馴染《なじ》みのお客様がお見えになり、ホステスさんたちと一緒になって楽しく過ごしました。

そのお客様はたいへん喜ばれて、「皆さんで」と言って通常では考えられない金額の入った御祝儀を私に預けました。私はそこを手伝っていただけで経営者ではなかったので、その袋をTさんに渡しました。この場合、当然Tさんは後で皆に配るのが常識というものだと思っていました。

しかし、お店が終わっても御祝儀を女の子たちに渡す気配がありません。

「明日にしやはんにゃろか？」と思い、その日はそのまま帰りました。

次の日、私がみんなに御祝儀のことを聞くと「もらっていません」と言うのです。私はTさんがいる二階に上がっていって、

「昨日のお客さんが、皆に御祝儀を渡さはったと思いますけど、そのお金はどぉーなってます？　皆に分けたげてほしい！」と言うと、なんと「もう昨日の売り上げとして銀行へ預けた」と真顔で言い返しました。私は重ねて、

「それやったら、銀行に行って出してきゃはったら！　あの御祝儀は皆がもらわはったんやし！」

と言うと、しぶしぶ出してきました。そのお金をみんなに配って、

「ママから、昨日の御祝儀渡しといてて言わはったし、うちから渡すけど皆でママにお礼言うてや」

彼女たちはそのとおりにしました。Tさんは私のしたことが不服だったようです。それを聞いた私は、すぐにそのお店を辞めました。最初からお手伝いだけということだったので、どうということはありません。しかし、私が辞めると同時に女の子も五人辞めたそうです。Tさんは一時のお金と引き換えに大事な信用をなくしたのです。

現金授与の現場でわかった人となり

お座敷ではいろんなことを目にします。

ある年の冬のことです。お座敷に伺うと二人のお客様がお見えでした。一人は大会社のオーナーNさん。もう一方は存じ上げない方でした。

座ってお話をしていると、Nさんがお台（座卓）の下から手を伸ばして何やらもぞもぞとしています。「何したはんにゃろ？」と私がお台の下を見ると、Nさんが上座のお客様に分厚いお札の束を渡しているところでした。お客様は大学教授、裏口入学を頼むための場だったようです。私はとても腹立たしい気持ちになりました。

お座敷はハイレベルな交遊の場所です。そこで現金を、それも何も包まずにお台の下からこそこそと渡すなんて、お座敷を汚《けが》したも同然です。

「あかんわぁ。この会社はつぶれるわ」と思いました。

確かに、祇園甲部はいろんなお客様がお越しになるところですので、公《おおやけ》にできないお金が行き来することがあるかもしれません。でも、そんな時は、お茶屋さんのおかあさんに頼めばいいのです。おかあさんは、きっとお菓子箱の上にお袱紗《ふくさ》に包んだ現金を、お客様が車に乗り込む時に、「お車代をお預かりしました」と自然な感じでその方に手渡すでしょう。「このお客様は、周りの誰も信用できひんにゃわ。かわいそうな人やなぁ」と感じました。

周囲の誰をも信頼できないということは、結局、誰からも信頼されないということだと思うのです。私自身もそのお客様を信頼する気持ちが失《う》せていくのを感じました。

数十年経った今、やっぱりその方の事業はうまくいっていないようです。

少しの御祝儀で楽しさが倍になります

海外に行くとチップの習慣があり、日本人はそれを面倒なことのように思うようです。「その点、日本はチップがなくていい」と思う方がいらっしゃると思いますが、ちょっとした心づけをすることで、お互い気持ちよく過ごせるという場面もあります。

たとえば、若いサラリーマンの方数人がレストランで食事をしたとします。シェフのお料理がとてもおいしく、サービスも行き届いていて、とても満足したら、お支払いをする時に、

「今日はとてもおいしかった。ごちそうさま」と、少しばかりの心づけを渡すのです。

または、お釣りを「取っておいてください」と断る方法もあります。スタッフはとても喜ぶでしょう。誰だって仕事をしてお客様に喜ばれたら嬉しいものです。

たとえ、四千八百円の支払いで五千円札を出したお釣りを御祝儀になど僅《わず》かな額でもいいのです。金額ではなく気持ちの問題だからです。次にそのお店に行った時のお店の方の

態度も違ってくるでしょう。それより何より、あなた自身がそこで過ごした時間がさらに楽しいものだと感じることができるのです。たとえば食事に行くことを例に出すと、日本人の感覚というのは「使ってやってる、作らせてやってる、食べてやってる」という意識の方が大半だと思います。二時間ぐらいのことなのでしょうが、その店を利用するということは、お席、お料理、雰囲気、サービス、会話など目に見えるものと見えないものすべてを楽しむということ。また、お料理屋さんに敬意を表す意味でも感謝の言葉をかけると自分の気持ちももっとよくなるのです。

お店のご主人をはじめとしてお店の皆が、お客さんに対して「お料理をおいしく食べて、楽しい時を過ごしてほしい」と思っているからです。

もちろん、料金を支払えばそれで終わりますが、その店全体を二時間拘束して楽しんだことになり、お金では買えない価値ある時間、だからこそ、ちょっとした心配りが必要なのです。

祇園甲部では、お座敷のお支払いはお茶屋さんから後で請求書が届き、銀行振り込みをしていただく「ツケ払い」になっています。これは特殊な例で、一般のお店に行く場合には、なるべく現金やカードで支払ったほうが、スマートで賢いやり方だと思います。

たとえば、サラリーマンの方でお馴染みのお店があったとします。数時間を過ごして、「今日は楽しかったな」と思ったら、たとえツケがきいたとしてもその場でお支払いするのがいいのです。

もしツケておいてもらったら、気持ちのどこかで、

「ああ、あの請求書がそのうち来るんだな」

「支払いはいつだったかな」と気持ちの中に残るのです。

そうすると、せっかく楽しく過ごした時間が味気ないものになってしまいます。その場が盛り上がっていればいるほど、その場ですべてを終わらせて後に引きずらないのが大人のやり方だと思います。

幸せも不幸も運ぶお金の扱い方

私が現役を引退した後のことです。

「峰子さんのことをよく知ってるという人が見えてます」

と言われてお店に出かけて行ったら、私の記憶にはない方でした。

「どなたどしたぁ？」と聞くと、私をご贔屓にしてくださっていた団体役員の秘書をしていたOさんだったのです。

「あの頃はほんとうにありがとうございました」と感謝されるので、

「うちが、なんぞぉー」

と聞くと、その人の上役からいただく御祝儀を何回か「これ、どぉーぞぉー」とOさんに差し上げていたのだそうです。

私はまったく覚えていなかったのですが、当時結婚したばかりでお給料も安かったOさんにとってはありがたいお金だったといいます。

「その心遣いがありがたくて」と今は、その上役の右腕となって活躍しているOさんの話を聞きながら、「ちょっとした御祝儀やったのに、よかったなぁー」ということを感じました。信用だけはお金で買えません。

まるでお芝居のような場面を見たことがあります。祇園甲部の有名なお茶屋さんの玄関で一人の男性が、「お金はいくらでもあるから、祇園で遊びたい」と言って動かないのです。

見ると玄関には札束が山のように積まれています。どうやら、このお金を全部使ってもいいというつもりらしいのです。その時、私は玄関の見える控えの間からその光景を見ていました。

応対したお茶屋さんのおかあさんは、困り切って、「えらいすんまへんけど、今日は、お座敷が空《あ》いてしまへんのどす」と断っていました。もちろん、お座敷が空いていないというのは口実です。京都の花柳界では「一見《いちげん》さんお断り」というルールがあります。ちょっと考えると冷たいようですが、これは信用のおける人を心からもてなしたいという京都の花柳界ならではの習慣です。信用や信頼のおけるお客様のご紹介は、そのまま、その方の信用につながります。

また、その方が不義理をするような方の場合は、お茶屋さんのおかあさんから、「その節、ご紹介いただいた方、気ぃおつけやっしゃぁ」と、ご紹介いただいた方に連絡が入ります。そこで、その方の信用や信頼がないと全国の花柳界に知れ渡り、二度と遊べなくなります。お金で買えないものはたくさんあります。一番買うことのできないものが「信用」です。

ある社長さんは、「取り引きしてくださる人を一人ずつ、商品をひとつずつ、信用してもらって少しずつ積み上げていくものが信用で、商売にはこれが一番大事だ」とよくおっしゃっていました。

また、信用や信頼は何十年積み重ねたとしても、一夜でなくすこともあります。自分の信用や信頼を大事にしてほしいと思います。

第三章　祇園で出会った一流の生き方、考え方

一流の男性ほど子どもの教育に手を抜きません

一流の方ほどお子さんの教育には熱心だと感じたことがあります。一流の学校に進学させるのは当然ですが、それだけではありません。学校や家庭では教えられないことを身につけさせようと考えていらっしゃるからです。それは、将来、人を指導する立場になることを自覚させるためでもあるのでしょう。人の上に立つ人には、何よりも忍耐が必要になり、人の言うことに耳を貸さなければなりません。

祇園甲部にいらっしゃるお客さまは、お子さんを連れてみえる方が多いのも事実です。私たちが守っている伝統芸能のお稽古は、物事を学ばせてもらうという時に必要な心構えを備えているので、それを伝えたいのだと思います。

花柳界の人間が小さい時からお稽古を通して礼儀作法を習い、厳しい修業をして育っていることや、人それぞれの立場があるのでお稽古の仕方が違うこと、何よりも人からの教えを素直に聞き、忍耐を育て、どんな立場に置かれても動じない精神を培《つちか》うことなど、分野は違っても共通の姿勢があるのでしょう。

印象的だったのが、京都に拠点を持つメーカーのオーナー社長さんのご家庭です。そこには三人の息子さんがいて、二十代の頃からよくお父様に連れられて祇園甲部にいらっしゃっていました。お父様は物静かで実直な方でした。

お子さんたちに、

「舞妓さんは、小さい時から舞の稽古をはじめいろいろな稽古をしてきている。師匠がカラスは白いと言えば弟子は、カラスは白いと思わなければならない。なるほど、カラスは黒いけれども、自然にカラスが白いと思えるようにならなければ師匠に忠実ではない。また、カラスは黒いと自分が思っている間は自分の我を通していて、稽古に身が入らないものだ。一見、師匠は理不尽だと思えるかもしれないけれども、弟子は教えてもらっている立場なのだから、素直に聞いて稽古に励めば一流の芸を披露できるようになるし一人前になる」

と仕事の仕方、人とのつきあい方、経営の方針から若い頃の思い出など、たくさんのお話をしていらっしゃいました。

それを息子さんたちも心を開いて、熱心に耳を傾けているのです。まるで毛利元就公の

〝三本の矢〟の話を目の前で見ているようで心を打たれました。そのお話はお説教臭くなく、心に響くとてもいいお話ばかりだったので、私もその方たちと並んで、まるで娘のように一心に耳を傾けてお勉強させていただきました。

その会社は、三人の息子さんがお父様の後を継ぎ、今も立派な業績を上げています。

「可愛い子に旅をさせる」学生時代のお燗番のアルバイト

お客様のご子息が祇園甲部のお茶屋さんでアルバイトをすることがあります。代表的なのが、お茶屋さんでのお燗番です。どのお茶屋さんにも、お酒を温める人が長年勤めていて、お客様の好みに合わせて、

「○○様がお見えやさかい、人肌がええなぁ」

「今日はちょっと寒いさかい熱燗にしとこ」

という具合にお銚子の手配をしているのです。お燗ができる間、舞妓・芸妓はそこで世間話に花を咲かせます。

このお燗番をアルバイトでお客様のご子息が務めることがあります。たとえば「今度、息子が京都の大学に入学することになったからアルバイトをさせてやってくれ」とお父様がお茶屋さんのおかあさんに頼みます。ご本人は、学資を稼ぐことができますし、社会勉強になります。たくさんの人がお客様のために働いているということ、

その方に合わせてお酒を温めるという気配りをすることなど、舞台裏を経験することが無形の勉強になります。

そのことが、やがて大人になって、自分がお客様としてお座敷に上がった時に役に立つのです。祇園甲部流の〝可愛い子に旅をさせる〟方法といえるでしょう。

「娘さん」にも責任があります

ところで、一般的に「娘さん」「お嬢さん」という言葉の意味はどう使われているのでしょうか？　一般社会の中の「娘さん」「お嬢さん」という意味は、世間知らず、またはお金持ちの家に育ち、何の苦労も知らない人という意味で捉《とら》えられていると思いますが、花柳界での「娘さん」「お嬢さん」という言葉の意味は、家の奥を取り仕切ることができる跡取りの女性のことを言います。

私が小さい時に、「岩崎の娘さん」「岩崎のお嬢さん」と呼ばれるまでには多少の時間がかかりました。娘さんやお嬢さんと呼ばれることは簡単なものではありません。私は「岩崎の娘さん」と呼ばれるたびに、責任を感じていました。

岩崎の使用人は、女衆《おなごし》（お手伝いさん）、仕込み（舞妓の見習い）、舞妓、芸妓がいました。岩崎には私の実の姉も芸妓として籍を置いていました（一番上の姉は舞妓をして襟替えと同時に結婚、その後離婚をして芸妓になりました。二番目の姉は小母《あば》の下で女将の補佐をし、三番目の姉は地方の芸妓で、その後結婚しました)。この三人の姉でさえ私とは立場が違うので、直接話をすることはできませんでした。「娘さん」「お嬢さん」と呼ばれるだけで、皆の先頭に立ち責任を取らなければなりません。もし、私が不注意な言葉を一言でも発するとその人たちの立場が悪くなるのです。

私は小さい頃、無口な子どもでしたが、家の中の人たちの行動をよく観察していました。たった一度、些細《ささい》なことを岩崎のおかあさん、お今婆さんに一言いったばっかりに、一人の女衆さんに悲しい思いをさせてしまいました。

その後に、お今婆さんは「あんなぁ、小さいことでもあんたが言うと、それを聞いたあては、あんたの顔を立てなあかんにゃ、そやさかいいらんことには目ぇをつぶるちゅうことをお考えや。ええか、岩崎の娘はんやさかいいなぁ」と教えられました。

「トイレ掃除」は跡取りの仕事

先にも述べたように、私は五歳の時、祇園甲部の置屋「岩崎」にやってきました。私は跡取りということもあったので大切に育てられました。女衆さんなど裏方の人たちとは食事も違うものが用意されていました。食べる魚はグジやハモなどの白身のお魚ばかり。初めて鮭を見た時は「あかんし！　このお魚病気やし、赤いにゃ。食べたらあかん!!」と周囲の人に言ってびっくりされたほどです。

しかし、この家でトイレの掃除をするのは私の仕事でした。トイレはいつも清潔にしておかないといけない場所です。トイレを見るとその家がわかるというように、行き届いた掃除が必要なのです。岩崎のトイレはお客様、女将、跡取り、芸妓、舞妓が使う上、小母、女衆、仕込みが使う下、洗面所にも上、下があり、どこも私が掃除するのです。

私にとってはこのトイレ掃除は性に合った仕事でした。もともと一人でいるのが好きで、トイレ掃除なら一人でできるからです。

トイレ掃除を跡取りにさせることには、トップに立つ者ほどみんなのためになることをしなくてはいけないという教えが込められているように思います。おもしろいことに、私の主人（日本画家・岩崎甚一郎）も実家が福島県でお米屋さんを営む跡取りでした。聞くとやはりこの家でも、小さい頃に掃除をするのは長男の役目だったといいます。掃除の仕方を理解していないと、後に指導する立場になった時、上手に教えることができないからというのが理由だと聞きました。

上に立つ者ほど、小さなことに気を配る——これは、祇園甲部に限らず言えることなのだと思います。

奥様は奥向きをしっかり取り仕切っています

舞妓時代、私はご贔屓にしてくださる方のご自宅によく遊びに行きました。京都経済界の方の奥様は普段から物静かですが、決して無口だというのではなく、私が台所に行くと、「峰子ちゃん、入って入って。お手伝いしてもろてもええやろか?」と言っていろいろ教えてくださいました。

「今日は、もう水無月（六月）が近いにゃけど、まだ水無月（みなづきは、生菓子で六月三〇日に食べます）だすには早いし、主菓子は葛きりにしてもろたんえ。おぶ（お茶）も冷してガラスの切子にしよと思うにゃけどどう思う?」

「ものすごええお趣向やと思いますわ」

私は見たままの感想を言っていました。まるで娘のように可愛がっていただき、そのご家庭で勉強させていただいたことは今も私の財産になっています。

こう言うと「そういう方のことを〝賢夫人〟というのでしょうね」とうなずく人がいま

す。世間では「あの方は賢夫人」とよく噂しますが、私が思うに「あの方は賢夫人」と言われるというのはすでに外に出ているということ。本当に賢く自立した奥様は、もっと奥でひっそりとしっかり家の中を守っていらっしゃいます。

祇園甲部はファミリーレストラン？

花柳界というところは、「男性だけが遊べる、閉ざされた場所」だと勘違いしている方が多いことは非常に残念です。

一部の小説やお芝居、映画などで、淫靡な描かれ方をされてきたせいかもしれません。お客様はお座敷に上がり、その場の雰囲気を体中で味わいながら、舞妓や芸妓との会話や舞に興じ、時には自分の芸を披露して自分の貴重な時間を楽しまれるのです。

必要であればお客様の自宅まで数人でお送りすることもあります。

門の前まではダメで、玄関に入って奥様にご挨拶するまでがお見送りです。なぜなら大切なお客様を無事に奥様のところにお送りするのが、いつもご贔屓にしてくださっているお客様への私たちの気持ちなのです。

その私たちの気持ちを奥様はわかってくださっていますから、「いつも、おーきにぃ。ご苦労はんどしたなぁ」と、私たちにお礼を言ってくださるのです。一般の方は花柳界を

〝家庭の敵〟のように思っていらっしゃるようですが、私の知っている限りではそんなことはありません。

花柳界は健全そのもので、家族でお見えになる方がたくさんいらっしゃいます。最初、お見えになったお客様が次に奥様と一緒にお見えになります。すると、「今度は息子も連れてこよう」という感じでご子息がお見えになり、ご子息が結婚されると若奥様をお連れになり、やがて赤ちゃんとご一緒にいらっしゃるという具合です。

私は祇園甲部のお茶屋さんはちょっと高級な〝ファミリーレストラン〟だと思っています。

生まれた赤ちゃんを舞妓や芸妓が抱きながらあやしたりもしますし、私は幼児の話す日本語がわかりませんので、「冒険しょ」と自分勝手にしゃべってお茶屋さんのあちこちを巡って何度もお守《も》りをしたことがあります。お茶屋さんは曲がりくねっていたり、階段があったり、造りが複雑なので、迷子にならないように帯紐でお子さんをたすきがけにして、端を持って歩きます。

また、かつてはご贔屓の家のお子さんがはしかになって、小さい赤ちゃんに伝染《うつ》るといけないという時には、お茶屋さんのおかあさんが預かったりもしていたそうです。

特に私はご贔屓の奥様と親しくしていただき、「ちょっとお食事でもしましょう」と誘われたり、ゴルフや旅行に行ったこともあります。お食事をしながら家庭内のグチをお聞きすることもありました。

おもしろかったのは、家族ぐるみで懇意にしている方のご子息が結婚することになった時、ご両親から「先さんにご挨拶に行くさかい一緒に来てんか」と頼まれたことです。「なんでうちが？」と思いましたが一緒に伺いました。先方のお嬢さんもご両親も気さくな方で、「このたびはおめでとうさんどす」など、なんで私が言うにゃろと思いながら和気あいあいと話が弾みました。

私という存在は何なのか、時々思うことがあります。家族ではないけれど、共通の友人、もしくは無害の親戚のようなものかもしれません。我ながら不思議です。

反対にクリニックの奥様のRさんが、お食事をしている最中に、
「たくが、好きな人は誰なの？　峰子ちゃん」と聞かれ、その人の人間性を疑うようなこともありました。
「あのねぇ。おたくのご主人は他のお客様と遜色《そんしょく》はおへんけど、モテしまへんえ」
「あら、いつも京都に行くと言って嬉しそうなのよ？　それじゃ、他の花柳界で遊んでる

御祝儀もしたはらへんのと違いまっか？　噂も聞かしまへんし」

「ご主人がモテると思たはんのは奥様だけどすてぇ。

「あら、たくのどこがモテないんでしょう？」

「他の花柳界に行かはっても、おんなじやと思いますわぁ」

のかしら？」

「どーいうことなの？　峰子ちゃん」

「こんなとこでそーぉいうお話は品がないとゆぅーことどす」

「あら、私が下品なの？」

「そぉーゆぅことどす。帰ってご主人にお聞きやしたらぁ、モテてるか、モテてへんか」

「本当に誰もいないのね！」

「何にも知りまへんて」

「あっそ、なんかあったら必ず私に教えてちょうだいね！」

「へぇ、へ」という品のない話もありました。

この奥様の最大の欠点は、私を自分の手駒のひとつにしようとしたことです。失礼な！

おつきあいする女性で男性の評判が決まります

長い間、花柳界で生きてきて不思議に思うことがあります。誰が見てもきちんとして立派だなと認められている姐さんをご贔屓にするお客様は、必ず仕事で成功するということです。

私の先輩の姐さんもそうでした。彼女をご贔屓にしているAさんという若い実業家がいらっしゃいました。最初に祇園甲部にいらっしゃった時はまだ未知数の方でしたが、だんだんとお仕事がうまくいくようになったのです。この姐さんの別のお客様で、姐さんをご贔屓にした途端、やはりお仕事がうまくいくようになった方もいらっしゃいます。

たぶん、この姐さんとお客様には共通の何かがあったのだと思います。それは向上心があるということでしょうか。姐さんは芸事にしてもお座敷にしても一生懸命な方でした。

逆におつきあいする女性で男性の評判が下がることもあります。

日本で有名な百貨店の社長さんは常磐津《ときわず》がお好きで、私もその社長さんの「語り」が好きでした。この社長さんが辞任された時、間髪《かんはつ》を入れず社長のイスに座った方がおいでになりました。私はこのことを知りませんでしたが、いつものようにお茶屋さんから声がかかり急いでお座敷に行くと、知らない人が真中の席に着いておられました。

私は、わけがわからず顔馴染みの方に「真中に座ってやす方は？」と尋ね、「今度の社長だよ」と言われた時は、前の社長さんとあまり違うタイプの方でしたのでビックリしました。

私は「この人、どうゆう人やにゃろ？」と不審に思いました。その百貨店では実力者で、新しいことをどんどんと進めていくと評判の方でした。ただ遊び方が粋ではなく、お話したり舞を舞ったりという遊びは興味がないようで、カラオケの機械を持ち込んでは次々に歌うのです。他のお座敷にも大きな音が響き渡り迷惑をかけ、お茶屋さんのしっとりとした雰囲気が壊れてしまいました。

私が一番疑問に思ったのは、仕事上のパートナーだという女性をいつも同伴することでした。それはいいのですが、その女性は同性の目から見ても悪趣味で魅力のない人でした。アクセサリーをたくさんつけ、社長にペタっとくっついてベタベタするのです。一見して恋人同士とわかりましたが、それはプライベートな場でどうぞ、と言いたくなりました。

「この百貨店は、今はええかもしれへんけど、きっとそのうち何かあるえ？」と思っていました。案の定、その百貨店はその女性のために内部が乱れ、社長は解任され引退することになりました。仕事上のことはわからないものの、女性の選び方を間違うとたいへんなことになります。

人の上に立つ人は、教わり上手、楽しみ上手です

日本を代表するホンダの本田さんは小唄の名手でした。ムーンバットの河野さんは清元がお上手。また、ある電機メーカーの経営者は謡曲がお好きで、のどをお座敷で披露するのを楽しみにしていらっしゃいますし、歌舞伎役者のモノマネをさせたら右に出るものがいないというぐらいの芸術家の方もいらっしゃって、その〝演じ物〟があるとお座敷が一気に盛り上がります。

人の上に立つ方々は、人には見せない努力をしている人が多いと感じています。厳しい競争に明け暮れている多くのトップの方にとって「お稽古事」は、ストレス発散の場になっているのかもしれません。それにしても、忙しい方がよくここまで熱心になさると感服するのですが、この方たちはもともと何にでも興味を持ち、好奇心や創造力が旺盛なのだと思います。

また日頃多くの人の先頭に立って仕事をしている方にとって何かを習うことで、それま

でになかった自分を発見されるのだとも思います。時間をかけて上達しようとすること自体が、とてもよい精神の訓練になっているのでしょう。いずれにしても、生涯をかけてつきあえる趣味をひとつぐらい持っておくことは必ず役に立つと思います。

舞台鑑賞、邦楽、クラシック音楽、お散歩、バードウォッチング、なんでもいいのです。今からでも始めてみてはどうでしょうか。

また、これは私の体験でもあるのですが、ご夫婦で共通の趣味を持つこともおすすめします。

祇園甲部では誰もが茶道（裏千家）を学びますが、主人も私と結婚すると同時に茶道を習い始めました。また、ぐい飲みやガラスの食器を集めた時期もありました。長い年月の間にはどうも夫婦の仲がぎくしゃくする時があります。共通の趣味はそれを丸く収めてくれるようにも思います。

お客様の中にも奥様と同じ趣味を持つことを心がけていた方がいて、とても仲むつまじくなさっています。懇意にしているお医者様は、ゴルフを共通の趣味にしていらっしゃいます。昔、私も交ぜていただいてコースを回ったことが何度かありますが、ご夫婦でペア、私はプロゴルファーの先生とペアで回り、楽しい一日を過ごしました。

小さなプレゼントでセンスがわかります

　プレゼントが上手な男性は魅力的です。私が知っている中で最もプレゼント上手だと感じたのは、外交官の方でした。

「峰子ちゃん、お土産だよー」と小さな包みをいただきました。お座敷で大きな包みというのは目立つのでその辺の配慮も行き届いているのです。開けてみると外国製のブローチ、香水、小さな化粧道具、ハンカチ、スカーフなど、決して高価なものではありませんが、趣味がよいのにいつも感心させられました。やはり、センスのある方のプレゼントはちょっと違うなと感じました。

　そこで私もバレンタインデーにチョコレートをプレゼントしようと考え、それが習慣になりました。大きなチョコレートではなくキッスチョコ一粒です。たったそれだけと思われるでしょうが、お膳の上にキッスチョコ一粒を載せて、「いつも、おぉーきにぃー」と渡します。

お客様がチョコレートを見ながら「わしにくれるチョコレートは、一番小さいチョコレートか？」

「心は大きおす」

「ほんまか？」

「ほんまどすぅ」と笑いながら言うと、お客様がキッスチョコを見て、

「ほんまやー。嬉しやないか！」

「やっぱりぃー」

　私のアイディアは、銀紙のところに小さい短冊で小さくお客様の名前を書いて、一言「感謝しております」と書いてあります。こんな趣向がとても喜ばれました。プレゼントは金額ではなく、センスと気持ちが大事だと思うのです。

お刺し身のツマを残す人には首をかしげます

男性の中で最も信頼されないタイプといえば、人の噂をする人です。

お茶屋さんのおかあさんが、お客様が連れてみえたお客様の中の一人について「あのお客さんは、もう連れてこんといとくれやす」と言ったという話を最近聞きました。

それはどんな人だったかというと、噂話ばかりしている方だったそうです。ぺらぺらと他人のあることないことを話す人はその場ではおもしろい人と思われますが、概して軽く見られ、尊敬はされません。また、下ネタばかりする人がいます。ふつうにお話ししているると思っていると、どうも話が品のないほうへほうへといってしまうのです。その手の話題は知性がないと思われるのでしないほうがいいと思います。

それより、ご自分の趣味や、お仕事でおもしろかったことをわかりやすくお話しいただくほうが数倍ウケるのです。もし、下品な話がウケたとしたら、それは二流の場所で、またそんな話をおもしろがってくれる人も二流。品格のない話題を好む人にはだんだん二流の人脈が増えていくのです。

また、食事の仕方を見るとその人の人柄がわかると言われています。

お食事の作法にしたがってキチンと食べる方は気持ちがよいものです。まず、お行儀のいい方はお箸を持ちながらお話はなさいませんし、酔っていても作法どおりになっています。ただ、これは私だけの見方なのかもしれませんが、お刺し身に添えられた大根、わさびやみょうがなどの薬味をよけ、お刺し身などお料理だけを食べる方にはちょっと首をかしげたくなります（アレルギーの方は別ですが）。

実際、そんな方は気風《きっぷ》が悪いように見受けられ、お金を出し渋るようなこせこせしたところがあるようです。お刺し身のツマや薬味は脇役ですが、これがあってこそお料理が引き立つのです。毒消しや防腐の役割もあり、お刺し身と一緒にいただくことで栄養バランスがとれるのです。

そんな脇役を無視して主役だけを大事にするという人は、仕事や人づきあいの面でも心遣いの欠けた部分があるように思うのは、私の思い込みでしょうか。

ハンカチ一枚をキッチリ取りに来る人の器量

お客様がお帰りになった後で忘れ物に気がつく時があります。それがハンカチならお茶屋さんで洗濯して「○月○日、○○様お忘れ物」と書いて預かっておきます。次にいらした時にお茶屋さんのおかあさんがお渡しするのです。

大概のお客様は「あっ、忘れてた？」とおっしゃって受け取られますが、私たちが「いやぁー、きれいなハンカチー」と言うと「ほんまぁかぁ。ほな、あげよか？」とおっしゃってくださる方もいらっしゃいます。

ところが、忘れ物に気がついた途端すぐお電話があり、取りに行くまで預かっておいてと言う方もいらっしゃいます。普段は横柄にしている人が、「ハンカチ、ハンカチ」と大騒ぎ。ハンカチも大事なものかもしれませんが、それなら普段から横柄な態度を改め、人と人とのおつきあいを大事にしたほうがいいのにと首をかしげてしまいます。

同じような体験をしました。私の友人が紹介してくれた人の家族と私たち家族で、ある日、神社にお参りに行った時の話です。

御手洗で両手、口を浄《きよ》めた後に、その家族の人たちが誰もハンカチを持っていないようでした。主人がいつも持っている日本手拭《てぬぐい》を貸そうとしました。

「甚ちゃん、さっきその手拭で鼻かんだでしょ」と言うのです。

「そうだよ。なんで？」

「だってー」

「両手も口も拭かないでそのままお参りするの？　僕はいいけど周りの人が見てるよ。それに神様に失礼でしょ」

と言うと嫌々ながらその家族は、主人の日本手拭を使いました。

いつもハンカチ、ハンカチと言っているのになぜか、その人たちがハンカチを持っているところを見たことがありません。人は見ていないと思っていても必ず見ています。

葬儀でわかる男の花道

「祝儀よりも不祝儀を大切に」と昔、「岩崎」のおかあちゃんに言われました。私もそのとおりだと思います。

結婚祝いは、喜び事でいつでもその二人に会えるので後からでもいいのです（ご当人はラブラブでしょうからあまり気にしなくてもいいと思います）。でも、不祝儀はその場を逃したら、その方にお会いする機会がありません。何をおいても駆けつけるようにしています。

京都の花柳界をご贔屓にしていただいた方のお葬式には、みな総出でお見送りするのが習わしです。先頭には花柳界の中でも最も古い歴史を誇る上七軒の芸妓さん、次に祇園甲部、先斗町《ぽんとちょう》、宮川町、祇園東などと花柳界ごとに集まって弔問します。

お通夜の着物は色のひとつ紋に黒の帯、舞妓さんの櫛《くし》と赤い飾りのものは半紙にくるんで口紅はささず、哀悼の意を示します。お葬式は喪服で、花柳界のきれいどころが揃って弔問に伺う様は、厳粛な中に一種の華やかさもあります。弔問の芸妓の数が多ければ多いほど、故人が花柳界で人気と尊敬を集め、やましいことがない方ということの証《あかし》で、故人の遺徳を偲ばせます。

本当のことを言うと私はお葬儀が苦手です。前にも書いたように、私はご贔屓のお客様のご家族とおつきあいすることが多く、奥様とも親しかったので私を見てホロホロと涙を流されるのを見るのが辛いのです。

後で「峰子さんが来るまでは気丈にしてらしたのに」と聞かされることもありました。きっとご主人が元気で、祇園甲部で遊んでいらした日々のことを思い出されるのでしょうか。悲しさがひとしお増します。

第四章　人の心を引きつける接待術・会話術

人づきあいが苦手だからこそできる人づきあい

どんな仕事をしていても周囲の人といい人間関係を築くのは大事なことですが、同時に持続させるのは非常に難しいことだと思います。

「どうも私は人づきあいが下手」で「不器用で、人の気に入るようなことが言えない」「引っ込み思案で話がうまくできない」と悩んでいる人が多いのではないでしょうか。人はそれぞれの価値観を持っているのですから考え方が違って当たり前なのです。接客業を長年やってきたのでわかるのですが、人間関係の上手下手など気にする必要はないと私は思います。自分の欠点を嘆くより、視点を変えていただきたいのです。

実は私自身が、人づきあいが苦手で、自分では根本的に暗い性格だと思っています。十一人兄姉の末っ子として生まれた私は小さい頃から一人で遊ぶことが大好きでした。人と会うのは嫌いで誰かが来るとすぐに押し入れに隠れてしまうような引っ込み思案な子どもだったのです。そんなに内気な子どもが、なぜ、幼くして祇園甲部の置屋の跡取りになろうと決心したのか不思議だと思われませんか？

俳優さんや女優さんも幼い頃に内気な性格や引っ込み思案だった方ほど、劇団に入っていろいろな役の練習をしているうちにその楽しさに引かれて俳優になってしまう、という話を耳にします。

また、邦楽の世界では子どもたちが大きな声ではっきりとものが言えるようにお稽古をします。私の娘も引っ込み思案でしたが、お稽古をさせていただいているうちに大きな声で話すようになりました。

要するに内気で話をするのが苦手な人は、自分の言いたいことを表現することが下手なだけなのです。

私も「岩崎」の家に行った後、しばらくは何か気に入らないことがあると何も言わずに、すぐ押し入れに入って出てこないということが続きました。現実逃避して違うことに想像をめぐらし、楽しい気分になりたかったのです。

店出しの日には近所の人が私の晴れ姿を見ようと外で待っていてくれました。私は知らなかったのですが、祇園甲部の人たちや祇園甲部でお商売をしている人たちの間では、岩崎の娘である私が舞妓になることが評判になっていたのです。

大勢の前に一人出て行くことがどうしても恥ずかしくて、外に出られず、最初の日から遅刻するという失態を演じてしまいました。

大人になってもこの性格はそのまま、実はお座敷も苦手、特に新しいお客様にお目にかかる時は内心緊張していました。また、私は年間平均で十回は舞台を勤めていましたが、舞台が終わると常に楽屋口にファンの方が三十人ぐらい待っています。「かなんなぁー」と思っていました。結局は人前に出るのが好きではないのです。

なぜそんな根クラな人間が祇園甲部の舞妓に出て、多くのお座敷を勤め、六年間も売り上げナンバー1になれたのかと疑問に思われることでしょう。それは、いつも自分に言い聞かせていたモットーと、二十九歳で辞めると心に誓っていたことにあります。

「お客様にお座敷でくつろいでいただいて、気持ちよくお仕事に復帰していただく。それが私の仕事。どれだけパーフェクトな仕事ができるか、やってみよ」

私が十五歳で舞妓に出た時に決心したことでした。

お座敷に出る時の衣装がどんなに絢爛豪華であっても、私は肌襦袢《はだじゅばん》の上にもう一枚白の着物のような襦袢を着ていました。男衆《おとこし》さんに着付けをしてもらうのですが、男衆さんにも赤の長襦袢の姿しか見られてはいません。白の襦袢は武士が戦場に赴く時など、死を覚悟した時に着る〝白装束〟にちなんでいます。戦場に出向くつもりでお座敷に出、プロに徹しようとする自分の覚悟を自分自身に表したものです。

今になって考えるとそんな人見知りの性格が幸いしたのかもしれないと思うことがあります。もし、私に誰とでもすぐに親しくなれるという〝才能〟があったら、どうやってお客様を楽しませたらいいのか、努力する必要はなかったと思います。接待する側とお客様との間にはどんなに親しくても越えてはならない一線があります。それが馴れ合いになってしまったかもしれません。通とは花柳界における男女間の清潔感のことであり、粋とは美意識的生活理念なのです。

自分の職業は接客業なのだと充分理解して、自分に自信を持つことができるまでお稽古に励みました。仕事として割り切ったからこそ、ここまでやってこられたのだと思っています。

人見知りだからこそ、接客業ができる——苦手だからこそ、努力が生きるのだと信じています。「自分に正直に生きること」を、自分に言い聞かせてきました。

〃ごもく入れ〃に徹して徹底的に相手の話を聞きます

私たちの役割は、ひたすらお客様のお話を聞くことです。

祇園甲部にいらっしゃるお客様は会社の経営者や、責任のある立場にいらっしゃる方です。仕事のこと、家庭のこと、人には言えない悩みや自分一人で解決しなくてはいけない問題をたくさん抱えていらして孤独な方が多いのです。お客様はひとしきり自分の胸の思いを吐き出すと、また元気になってお帰りになります。

「うちは〃ごもく入れ〃になろ」と思うようになりました。

ごもく入れとはゴミ袋のこと、お客様の胸にたまったものを捨てる袋の役ということです。お客様がわがままになったり、泣いたり笑ったり、自分をそのままさらけ出すことのできる場所です。トップの方が明日からまた、仕事に励むことができれば、日本の経済もうまくいくのではないかと思います。祇園甲部を含め全国の花柳界が元気だと日本は大丈夫だと自負しています。いかにお客様にありのままの姿を見せていただけるかが私たちの仕事なのです。

まだ舞妓の頃でした。京都の問屋さんの社長さんでいつもご贔屓にしてくださっている方が憔悴《しょうすい》した姿でお座敷にいらっしゃいました。見ると目の下にくっきりクマができています。

「なんぞ、あったんどすか？」と聞くと、

「ふーん」とうなずいて、

「あのなぁ、これからわしは独り言を言うさかいに、これは独り言やさかい聞こえても聞こえへんフリしててやぁ」とおっしゃいます。

「へぇ、どぉーぞ」とじっと黙って聞いていました。お話が始まりました。

「会社がようないにゃけど、なんとか会社を元に戻さなあかんにゃ。そやけど、今いる役員のうち何人かは辞めてもらわなあかんしなぁ。そやさかい、辞めてもらう人には次の就職口を探さなあかんやろぉ………」とおっしゃるのです。その方たちは時折お座敷に見えて私もよく知っています。

「一人はわしの親の代から勤めてくれてる人やし、この人にはよぉーよぉ働いてもろた。もう一人も性格のええ人でこの人にも世話になった。もう一人の人もそうや。そやけどなぁ、この人らは優しすぎてこれからの仕事をやっていくにはどぉーやなぁ？　と思う。とすると残んのは後の二人になんにゃけど、正直、この二人はわしには反抗的やし、いつも先代とわしを比べて叱られてばっかりや。しかしなぁ、この二人の押しの強さがないと会社が立ちいかんというのも事実やねん」で、ひとしきり話し終わると、

「あぁーあ。ほんま辛いわぁ。そやけどちょっと話してスッとしたわぁ。おーきに」と言ってお帰りになったのです。聞いていた私にも辛い話でしたが、これでお客様の気持ちがちょっとは軽くなるならそれでいいと思いました。

どなたにも言えない辛い胸のうちを伺ったこともあります。

ある日、いつもご贔屓になっている大会社の会長さんが、一人で静かにお座敷に座って庭を眺めておられました。どうやら涙を流していらっしゃるようです。私は何も言えず一緒に庭を見ていました。やがて、ポツリポツリとお話が始まりました。ご家族がある大きな事件に関係して、会長自身も責任を問われたのです。

「たいへんなことになった」

「それでも家族のことは大事に思っている」

「どうしたらいいものか」などを少しずつお話しになります。

長い時間をかけてお話を伺った後、私が、

「それやったら、うちが会長さんのお気持ちをお伝えしまひょかぁー?」と申し上げるとやっと少し笑って

「ありがとう。でも君が行ったらミイラ取りがミイラになるよ」とおっしゃいました。

そのようにしてどれぐらい座っていたのか思い出せません。事件はたいへんなことでしたが、でもその方のご家族を思う気持ちには打たれました。

「花柳界の人間はごもく入れ」という話をすると、「カウンセラーのようなお仕事ですね」とか「もつれた問題の相談にのってくれる弁護士さんのような存在ですね」という方がいます。「そんなエライものではありません」と笑ってしまいますが、本当は、そんな役割を担っているのかもしれません。

その後、会長さんはヨーロッパに出張されたのですが、私に小さな包みを手渡す時に、「峰子ちゃん、お土産だよ」と優しい声で微笑まれました。私は、瞬時にこの方はすぐに引責を担って辞職されると思いました。事件が一段落ついた頃、思ったとおり会長さんは潔く会社を引退されました。

そのことを聞いて、ただただ私は涙が止まりませんでした。

話し手の気持ちになってそのまま受け取ります

人の話を聞く時、私は素直にそのまま疑いを持たずに本気で聞きます。

これは引退後の話ですが、晩秋のある日のことです。ご贔屓だったお客様のKさんからの呼び出しでお座敷に伺うと、Kさんが知らない方をお連れでした。Kさんが、ただならぬ表情で「峰子ちゃん、この人な実は外国から船に乗って漂流してきやはったボートピープルやにゃ」とおっしゃるのです。

私はびっくりして「いっやぁー。えらいことどすなぁ。えらい苦労しゃはったんやぁ」とお気の毒に思いました。

見るとかなりお年を召していらして、髪の毛が長くボサボサしています。後になってよく考えると、どう見ても日本人の顔立ちをしていらしたのですが、その時はすっかり信じてしまっているので疑いもしませんでした。

「働き口を見つけたげんなんにゃけど、これからどうしたらええと思うぅ?」というお話を片言の英語でされました。私も必死に片言の英語でお返事をしました。

「うちは、今、主人に日本画の修復を教えてもろてますにゃけど、この仕事やったら順番さえわかったら早いうちに仕事ができると思います。ほんで、その間に日本語を覚えはったらええのと違いまっしゃろか？　うちの家に住み込みできゃはったら家賃もいりまへんし」と、私が一生懸命、日本画の修復の説明をしていると、突然、それを聞いていたお客さんが、何かの合図をなさって急に笑い出し、「今のはウソウソ」とおっしゃるのです。

　私はキョトンとして、次に猛烈な怒りが込み上げてきました。お座敷を飛び出して、パシーンっと襖《ふすま》を閉めたのですが、これはまずいと思って気を取り直し、

「えらいすんまへん。無作法しました。かんにんしとうくれやす」とお座敷に戻りましたが、

「今日は、帰らしてもらいます」と言うと、二人は笑って、

「かんにんな。そやけど、こんな信じてくれると思わへんかったんやがなぁ。それにしても峰子ちゃんはよう騙《だま》されるなあ」

　たしかに私はよく騙されます。流行作家であった川上宗薫さんや梶山季之さんにもお芝居を打たれたことがあります。あまりにたやすく騙されるのでお茶屋さんのおかあさんも

仲間になって、「峰子ちゃんを騙す会」というのもあったぐらいです。

「なんでそんな会を作らなあきまへんね！」と怒っていました。その後、ボートピープルに扮した方が、人形作家とわかり、一人で謝りに見えました。

「申し訳ないことしたと思て反省してますにゃ。えらいすんまへん。そやけど峰子さんとやったら雪見てでも泣けるなぁ」とおっしゃったことが印象的でした。人の話を疑いもなく素直に聞くことは、話す人の気持ちを癒す効果があるのかもしれません。

「ほな今度目、雪見て泣きまひょ。雪を見たり、シトシトと降る雨を見て泣くちゅうことはええことやと思いますわ」

人は何を見ても、触れても聞いても、感動できる心が大事なことだと思います。

本気で人の話を聞くのは辛いものです。しかし、それが私たちの仕事なのです。現役時代、時々体調を崩したり、不眠症になったりしましたがそのせいかもしれません。もっと軽く聞き流すほうがいいのかもしれませんが、仕事ですので、どうしても本気で聞いてしまいます。

十五分で初対面の人の気持ちをほぐします

どなたかに連れられて初めて祇園甲部にいらっしゃったお客様の中には、カチンコチンに緊張なさる方もいらっしゃいます。

そんな方でも私たちが話し相手になれば、まるで我が家にいるかのようにくつろぐことができます。お客様が私たちに気を許してくださるまでには、それなりの時間が必要だと思いますが、早ければ十五分で心を和らげることができます。それがプロの接待術です。

まず初めに「おぉーおきに」と襖を開けて入り、お客様の前に座ります。

お徳利を持ってお酒をすすめながら、お天気のいい日だったら、「ええお日よりどすね」雨の日なら、「きょうは足元が悪うてえらいことどしたね」などあたりさわりのない話題から話しかけます。

そして、「峰子どす。よろしゅーおたのもうします」と自己紹介をします。

花柳界は「敷居が高く、格式のあるところ」という先入観があるようです。「京都のお茶漬け」の話が行き渡りすぎているせいか、京都の人間は裏と表があり人が悪いと思い込んでいらっしゃる方が大勢おいでになって、残念で悲しい気がします。

京都は千年の都で、歴史的にいろいろな方々との交流がありました。私の家系は千三百年ほど京都に住んでいますが、途中から京都に来た方にはわからない竹を割ったような性格の人たちは古い家に多く、白黒がはっきりしています。何代かしか京都に住んでいない方は、上の方や力のある方に媚《こび》を売って生きなければ、ここではうまく生きられないと勝手に思っている人が多いのです。

そんな気持ちで固まっている方には、

「はいはい、どぉーもおへんて、力抜いとくれやすぅ」という気持ちで接します。

「いや、緊張します」

などとおっしゃったら、

「ほなマット持ってきまひょかぁ？」

「え？」

「……金鳥（緊張）マット」

とおどけることもあります。お客様は「ガク……」とつんのめりますが、ちょっとでもリラックスできるようです。三枚目になることは人の心の中に入るのには抜群の効果を発します。

よく聞かれることに、

「舞妓さんになって何年目?」があるのですが、

「へぇ、今年どすぅ」と答えるだけでなく

「いっやぁー、見えしまへんか?　まだ湯気立ってましゃろぉ」など、次に話が続くような一言を付け加えます。

芸妓になってしばらく経った頃からは、

「襟替えして何年目?」という質問です。それには、

「もう百年ほど前」などと言っていました。周囲をうかがい、マジメな顔をして小声で、

「うちは、四百年前は嵯峨野に住んでた妖怪どすねん」と言って口をへの字に曲げて、両手をお化けのように胸先で曲げ、

「何か用かい（妖怪）?」

「えーほんと!」など、笑いにもっていきます。

心底、自分はつまらない人間なのですが、人から見た私は三枚目の素質があるらしいの

です。この三枚目になれるかどうかが会話のポイントかもしれません。
場をほぐしながら「どちらから見えましたん？」と、相手の方が答えやすい質問から始めて、徐々にお客様の興味のあるものは何かを探り当てていけば心を開いてくださると思います。

「この方にはこういうふうにもの言うたらええにゃなぁ」

しかし、ここでは言葉の選び方や言い回しに注意しなくてはなりません。言葉には角度があります。適当な場所で適当な言葉をポンとあてはめることができたらプロといえるでしょう。賑やかにもっていこうとするだけではありません。

お客様の中には無口な方もいらっしゃいます。無口な方には学者さんが多く見られますが、ご本人は私たちの話していることを楽しんで聞き入っているのです。

イソップ物語の中に「北風と太陽」の寓話があります。北風と太陽のどちらが旅人のマントを脱がせることができるかを競争して、北風が強風を吹きかけると旅人はマントが脱げないようにしっかり押さえつけてしまいましたが、太陽がぽかぽか照らすと簡単にマントを脱いだというお話です。こちらから性急に働きかけるより、柔らかく話せば心を開いてもらえます。状況を判断して場をほぐす工夫をしながら、基本的には受け身でいることが大事なのです。ある程度、座が温まってきたら、ちょっと盛り上げる算段もします。

　祇園甲部ではお客様にどうやったら「ありのままの姿」を出していただくかを考えます。子どもに戻っていただくといってもいいと思いますが、そのために遊びもいくつか考えておきます。

　私がいつも持っていたのはおじゃみ（お手玉）とおはじきでした。また人気だったのが「けん玉」で、けん玉をいくつか用意して、「今日はけん玉たいか〜い」と言うと、一気に盛り上がることもありました。

　お座敷を楽しんでいただくためにそういう工夫を随所に取り込みながら、自然体で受け答えするということが基本だと思います。

「人に好かれたい」と思わないで、ありのままの自分を出せば、対する人も敵対心を持たないものなのです。

「私の自然な姿を見てもらって、それで気に入られなければしょうがない」と思うくらいの気持ちでいたほうがいいのではないでしょうか。

〝礼儀正しい応対〟が気難しい人の心を開きます

「あの人は気難しいことで有名だ」

「なかなか本音を話してもらえない」と言われる人が近くに一人や二人はいて苦労している方もいらっしゃるでしょう。私に言わせると気難しい人のほうがおつきあいは楽です。気難しいと言われる人ほど、一度、心を開いてくだされば長くおつきあいしてくださいます。

押しどころは一カ所だけです。そこを解くのがポイントです。それには礼儀正しくすることで、好かれようと思って媚を売る人は嫌われます。また、気難しいと言われる人は一本筋が通っていて、人によっては触れてはいけないない不可侵の領域を持っています。いくら親しくなってもそこには触らないことです。

〝気難しい人〟で思い出すのは、京都髙島屋の社長をしていらした飯田さんです。舞妓時代にご贔屓にしていただいていて、私が十五歳の頃は、すでに六十歳を過ぎていらっしゃったため「おじいちゃん」と呼んでいました。口はいつもぎゅっと結ばれ、べっこうの逆三角形に尖った眼鏡をかけた飯田さんは他の人の目には、見るからに気難しいと感じられていたのです。

実際、人の好き嫌いが激しく、お気に召さない舞妓や芸妓には、顔を見ただけで「お帰り」などとおっしゃるので、姐さん方のほとんどは「おじいさん、かなんわぁ」と嫌がられました。その飯田さんに私はたいそう可愛がられたのです。

ある日、お座敷で同僚の舞妓と、

「明日買いもんに行こか？」

「峰ちゃんはいつもどこに買い物に行くのん？」

「うちは髙島屋でしかかいもんしぃひん」

と話していると、おじいちゃんが嬉しそうに、

「ほな、お昼をごっつぉしょ。明日、お昼に受付に来てんか」

とおっしゃるので、おじいちゃんが髙島屋の人だということがわかりました。

同僚の舞妓と四条河原町の角にある髙島屋に行くと、秘書の方が見えていて、

「おじいちゃん、おいやすか？」

と言うと、エレベーターで社長室へ直行しました。おじいちゃんは私が洋服を着ているのを見て、

「ふーん、なかなかええやないか」

「おぉーきに、今日は洋服やないと買いもんができひんし、洋服でごめんやす」

「そぉーか、そぉーか」とたいへん喜んでくださいました。

お昼になって約束の食事が運ばれてきました。社員食堂のランチをいつも食べていらっしゃるようで、それを一緒にいただいたのです。なぜか私は髙島屋の店員さんになったようで嬉しくなりました。その上、非常においしかったのです。私がとても喜んだので、その後も行くたびごとに昼食を用意してくださりました。食後、店内を案内してくださることになり、歩き回るのがお好きなのはいいのですが、店員さんたちにとっては大いに迷惑なようで、緊張しているようでした。

時が経つにつれて、おじいちゃんのことがわかってきました。親しくても挨拶など礼儀正しくすることが好きなこと、社長室に遊びに行くほどのおつきあいでも、机の周りに寄っていって「何の、お仕事したはりますのん？」と聞いてはいけないこと。仲良くなってもたとえばおじいちゃんの膝《ひざ》に手を置くなど、しなだれかかるような真似をすると途端に

機嫌が悪くなることです（同僚の子がこれをして叱られました）。

私は、どなたのところに伺っても、人の仕事机の周りには行ってはいけないと思っていましたので、応接セットのところで仕事が終わるのを待っていたのを、おじいちゃんは気に入ったようです。

そんな時、部屋にひとつの香合が飾ってありました。その香合はとても姿が美しく、一時間もさんざん褒めました。

「峰ちゃん、それがええのか？」

「ものすご、ええしぃ」と言うとたいそう喜んでくださいました（でも、譲ってはくださいませんでした）。

おじいちゃんは美術に造詣が深く、髙島屋の展覧会といえば美術の粋を集めた素晴らしいものでした。きっと自慢の品を部屋に置いておかれたのだと思います。

近寄り難い人でも、褒められたいことがひとつはあるのだということもおじいちゃんとのおつきあいでわかったことです。

欲しいものは自分のお金で払います

　百貨店で思い出すのは、伊勢丹の社長さんだった小菅さんです。私の現役時代には京都に伊勢丹百貨店はありませんでしたので、百貨店協会の宴会の折に初めて小菅さんにご挨拶をしました。

「伊勢丹の小菅です。よろしく」非常に腰の低い方です。

「峰子どす。よろしぃーおたのもうします。い・せ・た・ん・さ・ん？　どこにありますのん？」

「東京の新宿です」

「し・ん・じゅ・く？　行ったことおへんわ。知りまへんわ」

「そぉー、峰子さん東京に見えることがありますか？」

「よぉーお、行きますけど、し・ん・じゅ・くは行ったこともあらしまへんしぃ、たぶんよぉー寄せてもらわへんと思います。えらいすんまへん」

「じゃぁ、いついらっしゃるのか日を聞いておけば東京駅に車を用意します」

「おぉーきに」

日時を決めて東京駅に向かいました。約束どおり秘書の方がプラットホームまで迎えに来てくださっていました。新宿に着くのに車で一時間以上もかかりました。やっと、到着して小菅さんにご挨拶をしました。

「遠かったでしょ、よく来てくださいましたね」

「ここはどのへんどす？　京都に近いのどすか？　遠いのどすか？」

「東京ですから、ちょっと京都からは遠いでしょうね」

「そぉーどすか……」

「峰子さん、うちの店を見てください。もし、欲しいものがあれば秘書に言ってくだされぱいいですから」

「おぉーきに」と店内を秘書さんと見学して歩きましたが、ここで買い物をすると小菅さんがお支払いしてくださると思い、自由に買い物ができません。秘書さんに
「ちょっと、すんまへんけど一人で買いもんがしたいと思いますので、おたくはちょっと一服してとくれやすか？」

「そぉいうわけにはいかないんです。社長命令ですから」

「そぉーどすか、ほな、うち帰らしてもらいますわ」

「ちょっと待ってください。峰子さん、それでは私の立場がありません」

「そぉどすねぇー……」

「何かうちの店でお役に立てることはありませんか？」

「えらいすんまへん。ほな、ハンカチ買いに行きますわ」

「ハンカチですか？」

「ハンカチ」

「それでは、こちらに」

　ということでハンカチ売り場。スワトーのハンカチは私が集めているもののひとつですが、秘書さんが私の後ろにいますので、一万円のハンカチにしておきました。お財布を出して支払おうと思ったら、案の定小菅さんのお支払いになりました。初めて行った百貨店で後ろ髪を引かれる思いでしたが、社長さんにご挨拶をして車に乗ると、社長さんや秘書さんが見送っています。

　運転手さんに一回りするように頼み、私はもう一度伊勢丹百貨店に戻り、カシミアでできた黒のズボンとセーターを買ったのです。店内をうろうろしていると先ほどの秘書さんとばったり出会ってしまいました。

「峰子さん、お帰りになったのでは?」

「一遍、帰ったんどすけど、買うもんを忘れてましたさかい買いましたん」

「あっらー!」

「おぉーきに。社長さんによろしぃーゆうといとくれやす。ほな、さいなら」

とあわてたことがありました。

私は、人に物を買ってもらうのが好きではありません。社長さんや秘書さんには悪かったのかもしれませんが、自分が買いたいものを自分で買うのが趣味なのです。自分で買い物をするために働いて、欲しいものを手に入れなければ働いている意味がないですから。

いつも陽気な人ほど本当は難しい人です

気難しいというのとも違う、クセのある方がいらっしゃいます。ひねくれた感じとでも言いましょうか。

関西では「ヘンコ」と言いますが、譲れない一点やこだわりを持っているので、それが何なのかを知っておく必要があるでしょう。でも遠巻きに敬遠する必要はありません。親しくなったような口をききつつ、あるところでビシッと刺します。

「おたく、ここが変わってますにゃね」と言うと、「わかったかぁ？」と嬉しそうな顔をなさいます。シャイな反面、自分を認めてもらいたい、理解してもらいたいという気持ちも強いのです。

逆に気をつけなくてはいけないのは、気難しかったりヘンコだったりする人より、いつも朗らかに笑っている人です。一見、おつきあいが楽なように見えて、最も難しいのがこのタイプの人。なぜなら人に見せている面と実像が違うことが多いからです。

ご贔屓でとても気持ちのいい方がいらっしゃいました。丸い頭に丸いお腹、ひょうきんな顔立ちをなさっていて、見るからに親しみやすそうな方です。歯が出ているので「はぁーあ、デバデバ」それを自分でギャグにして笑っています。

お座敷には笑いが絶えないのでラクなお座敷と思って私も気楽に勤めていたある日、襖を開け「おぉーきに。はぁー」とギャグを言おうとして息を呑みました。そのお客様がいつもとはまったく違って難しい顔で、お仕事の話をしています。

「今の状況は……」

「今後の見通しは……」

あわてて、座り直してお話が終わるのをじっと待ちました。内心（これがこの人のほんまの姿やにゃ）と思いながら。そういえば、この方は、ご自宅の場所も知られたくないようで、いつも車を呼ばず、ワンブロック歩いた先から車を拾ってお帰りになります。ほろ酔い加減で足元がふらついているように見えてそれ以上崩れることもなく、決まって十一時になるとちょっと早めのシンデレラのように、お帰りになり、足元を見ると先ほどとは打って変わってしっかりしているのです。

たぶん、この方の内面は複雑でそんな姿を知られたくないため、わざと楽しげにしているのかもしれないと思いました。（そぉかぁ、表面だけ見てたらあかんなぁ）とまた勉強になりました。

それから数カ月後、その方はいつものひょうきんな方に戻りました。一人でおもしろいことを言って、周りの芸妓を笑わせて喜んでいる姿を見ながら（この人は、この姿を人に見せたいにゃさかい、このまま楽しぃ遊んでもろてんのが一番ええことやにゃわぁ）と思って、一緒にアホなギャグを言っていました。

誰に対しても、楽しく話を合わせながらも踏み越えてはいけない一線があることを感じました。

扇子一本で分けるもてなしの一線

人と人との間には〝越えてはいけない一線〟があるというと、私は千利休の話を思い出します。ご存じのように、利休は桃山時代の堺の豪商にして侘《わ》び茶を確立した大茶人です。豊臣秀吉から二千石の知行を受けていましたが、秀吉の勘気にあって切腹を申し付けられ自害しました。一五九一年のことです。

原因はいろいろ語られていますが、その中に、茶室の朝顔の話があります。

ある日、秀吉が利休の庭の朝顔を見たくて、きれいに咲いているところを見たいと利休に所望しました。秀吉が行ってみると庭中に咲いていた朝顔はすべて切り取られていて、一輪の朝顔だけが茶室の花器に活けてあったという話です。これに秀吉は激怒したといいます。

「利休は秀吉に侘び寂《さ》びの心をそれとなく教えようとしたのだ」「秀吉は利休の真意がわからずに切腹させた。これが政治家と芸術家の心の闘いだ」などと諸説ありますが、秀吉、利休それぞれの思惑を推察して小説にもなり、日本歴史上の謎とされています。

祇園甲部ではお茶屋さんのしつらいやふるまいは茶道を基本としていて、舞妓や芸妓は裏千家茶道が必須科目です。私も長い間茶道に親しんできて利休居士は、偉大な方だったと尊敬しています。しかし、私個人の意見を言わせていただくと、この場合の利休居士のふるまいは、秀吉というお客様に対して出すぎているのではないか？　もてなす側として一線を越えているのではないかと感じざるを得ないのです。まず、朝顔を一輪残して刈り取ることで侘び寂びの心を伝えようとするのは、客人に対して僭越《せんえつ》なような気がします。自分の考えを押しつけてはいけないと思いますし、価値観の問題ではないでしょうか。

朝顔にも命があります。庭中の朝顔を一輪残して刈り取る行為には、どこか利休らしくない荒々しいものを感じてしまいます。私は、朝顔を一輪も刈り取らずに、朝顔の咲いている場所に立て簾でも張り巡らして利休らしい効果的な演出ができなかったのかと思うのです。

実際、私もお客様と親しくなって、減らず口をたたくことがあります。ちょっと個性的な方には「けったいやと思いますにゃけどぉ」と言うことは日常茶飯事でした。「峰子さんには勝てない」などと言われていたと思いますが、それでもお客様と、もてなす側の一線だけは越えてはならないのです。これも花柳界の鉄則です。

私たちはお座敷に伺う時には襖を開けて、扇子を一本置いて「おぉーおきにぃ」と挨拶してからお座敷に入ります。これは扇子一本の向こう側は上座（お客様）、こちら側が下座（舞妓・芸妓）というケジメを表したものと、先輩たちに教わっていました。

どんなに親しくなっても守るべき領域があるのです。「親しき仲にも礼儀あり」ということでしょうか。


ところで、人とのつきあいを象徴する言葉に「一期《いちご》一会《いちえ》」という言葉があります。好きな言葉としてあげられる方も多いようですが、この言葉をバーゲンセールのように使っている人が多いように思います。

私はお茶のお稽古の時に「一期一会」の意味を井口宗匠に伺いました。

侍は日々お城に上がるといろいろ理不尽な出来事もあり、いつ戦《いくさ》に赴くかもわからない、生死をかけて一夜限りの杯を交わし、この世で二度と会えないであろうと思いながらも「潔く」という、日本人独特の相手の気持ちを重んじて「もののあわれ」を感じながら酌み交わすのです。

また、茶人の側から見れば、前日から客をもてなす用意をし、次の日に客を送り出した後、自分のために茶を一服立てながら、お客は心から喜んでくれたか、今日の自分の出来栄えはどうだったか？　自分を褒めるのか、諫《いさ》めるのかを判断する時間であると教えてくださいました。「一期一会」という言葉は、私が大事にしている言葉のひとつです。

お座敷に上がる際に大切な「心」を伝えています。

苦手なタイプの人ほどていねいに接します

数多くのお客様の中には私の苦手なタイプの方もいらっしゃいました。仕事ですから、それを顔や態度に出すのはプロとして失格です。

実際、その人の空気を感じるだけで鳥肌が立つくらい苦手な方もいました。そんな時はどうするか？

ちょっと荒療治ですが、お座敷に伺ったら、まず、その方のそばに座るのです。ていねいにご挨拶をしながら、お酌をしてお話をします。そうしておいて、だんだんと好感の持てるタイプの方へと移動していきます。たぶん、そのお客様は、私がその方を苦手だということは最後までわかってなかったと自負しています。一度経験してみてください。何か大きなものを乗り越えた感じがするものです。

また、苦手だと思う方とはとことんつきあうことで信頼を得ることができます。

思い出すのは、私が十五歳の頃、京都でも「嫌味」で有名だったＩさんのことです。

初めてのお座敷で舞をご覧に入れた時、満座の中で一言「下手やなー、見てられんわ」とおっしゃいました。私はその方の噂は知りませんでしたので、呆然《ぼうぜん》として青ざめていました。「六つから十年もやってきたのにまだあかんにゃわぁ」とがっかりし、「どうしたらええにゃろ?」と考えながらも、私の負けん気がむくむく湧いてきました。以来、毎回そのお客様のお座敷で舞を舞った後「今日はどうどした?」と聞くことにしました。

その方が井上流のファンだということもわかってきましたが、その人の評判を聞いた途端に私は、京都のイケズ(意地悪)でおっしゃったのだと悟りましたので、ひたすら、「今日はどうどした?」と何度もしつこく聞いてみました。

「最近はちょっとましになってきたなぁ」とうとう、その方がおっしゃった時には(やっぱり!)と思いました。

こんな負けん気は今でも生きています。昨年、本を出版して欧米七カ国十九カ所をプロモーションのため五週間かけて回った時のことです。外国の方は、いい意味でも悪い意味でも日本人にない執拗さがあります。たとえば、アメリカでは三十分でも休憩があるとインタビューが入ります。非常にスケジュールはハードですが、そうなると私も花柳界で培われた意地が俄然《がぜん》と湧き起こり、〝かかってこい!〟と覚悟が決まるのです。出版社の担当者が目の下にクマを作るまでインタビューに答えました。担当しているのは全員女性でしたが、「ミネコー、ダイジョーブゥー」「ダイジョーブ？　ミネーコー」と声をかけてくれます。

日程によっては朝四時に移動することもあり、飛行機に乗る前のセキュリティーの人に、着物や草履《ぞうり》、足袋《たび》まで脱げとか、扇を何に使うのかとか細かく聞かれました。あまりの厳しさに、「日本人に対してイケズしたはんにゃろか？」と抗議をすると、「これは仕事です」と拳銃を見せびらかしたり、こん棒で突き、ゲートまで追ってくるのです。またもや抗議すると「仕事です」と答えるだけでした。私は厳しいのとイケズは違うけどなぁ？とアングリして、くたびれ果てた体や精神をそのままイベント会場に持っていったことも再三ありました。

また、インタビュアーの中には私のことを「元芸妓、イエース！」などと「フジヤマ、ゲイシャ」の感覚で表現する人もいました。本を読んで、私の話を聞いてもまだわからないのかと感じました。文化は違っても、異文化に対しては素直に耳を傾けるべきだと思っていた私は非常にガッカリしてしまいました。

でも、私は、どんなことがあろうと「レッツゴー、レッツゴー」と言って皆を励ましながら、どんなインタビューの人にも表現をかえながら同じ態度で接しました。ここぞという時には根性がモノをいいます。花柳界で鍛えた体と精神力は健在だと自分を褒めてあげたいと思いました。

思い切って人の胸には飛び込むと道が開けます

苦手でも思い切って自分の心のうちを打ち明けることで人間関係がよくなることがあります。

里春さんという大先輩の芸妓さんがいらっしゃいました。美人で背も高く、何を舞っても表現力があり素晴らしい舞でした。私がお茶屋見習いに出ることになった時、ぜひ里春さん姐さんに、姐さん芸妓になっていただこうと思っていました。姐さん芸妓とは店出し前の仕込みさんに、鏡台の前の掃除をさせるとともに、祇園甲部のしきたりなどを教える役目を持っている人です。

しかし、それは難しいということがわかりました。私には二回り年の離れた八重千代という姉がいて、やはり祇園甲部の芸妓として「岩崎」から出ていました。美人で売れっ子でしたが、奔放なところがあり毀誉《きよ》褒貶《ほうへん》相半ばする人でしたので、里春さん姐さんは、八重千代を嫌っていました。そのとばっちりを受けて姐さんは私にもいい感情を抱いてはいなかったのです。いつもお座敷で里春さん姐さんの舞を見ていて教えてもらいたい型があった私は、ちょっとした手土産を持って、私の胸の思いを里春さん姐さんに打ち明けようとお宅を訪ねたのです。

いつも姐さんの舞を見て感服していること、姐さん芸妓を引き受けていただきたかったことを素直に訴えました。すると、今までのことはすべて水に流すかのように、「はぁわかったえ」と言ってくださったのです。私は嬉しくてたまりませんでした。

それ以来、里春さん姐さんはずっと私を立ててくださって、たくさんのことを教えてくださいました。人間関係は、とかく複雑に些細なことでこじれやすいのが、大人の社会なのかもしれません。単刀直入に誠意を訴えることで意外にすんなりと誤解がとけるのではないでしょうか。

置屋「岩崎」の教訓

山科の実家で、たまたま四歳の私を見て即座に「この子を『岩崎』の跡取りにしたい」と決心したのが、「岩崎」のおかあさん、お今婆さんです。

嘉永六年ペリーが浦賀にやってきた年に生まれた、江戸生まれ明治育ちの女性です。この人から私は花柳界で生きていく上でのいろいろなことをたくさん教えられました。

○何があってもにこにこしていること
○腰を低くすること（謙虚）
○ていねいに物を扱うこと
○人に尽くすこと
○堂々としていること
○嘘をついてはいけないこと
○騙してはいけないこと

など当たり前のことですが、大人になって世の中には裏と表があることを知ると、かえって大事な教えだと思うようになりました。

皆さん、花柳界がどういうところであるかをご存じでしょうか？

花柳界とは、働く場所は、お茶屋さんもしくはお料理屋さんのお座敷と呼ばれる場所です。

また、舞妓や芸妓が年季奉公が終わるまでいるところが置屋です。

花柳界の「花」の意味は牡丹《ぼたん》や芍薬《しゃくやく》のように主役にもなれば、かすみ草や庭の片隅に咲いているような脇役にも、どんな花にでもなれるということで、女性を花にたとえています。「柳」はどんな過酷な条件にも屈しない強い精神力を意味しています。

ここで、皆さんに〝祇園甲部〟に関する〝基礎知識〟をご紹介いたします。

前にも書きましたが、京都には五つの花柳界（五花街）があります。

上七軒、祇園甲部、先斗町、宮川町、祇園東です。最も歴史が古く格式も高い上七軒、規模が大きく華やかな祇園甲部をはじめ、それぞれが特徴を持った花柳界です。

明治時代には政界・財界・官界による「待合政治」が繰り広げられたため花柳界は全国的規模で発展しました。

京都では特に祇園甲部が明治五年に「祇園女子職業訓練所会社」という財団を設立して、芸を磨くことで伝統文化を担い、自立した女性を育てることにしたのです。この組織は、歌舞会、お茶屋組合、芸妓組合、祇園甲部全体がひとつの組織として連携する試みで、世界的にも女性にとっては画期的なことだったと思います。祇園甲部の舞妓、芸妓はこのようにして誕生しましたが、舞妓、芸妓、芸者と呼ばれるようになったのは、江戸初期で今から約四百年前です。その他の花柳界の女性も、高い知識、見識で満ち溢れたキャリアウーマンです。

一方、祇園甲部で遊ぶお客様にも品格や教養が要求されます。なんといっても信用が第一で、知人の紹介以外は受け付けない「一見さんお断り」も信用を重んじるからこそのルールです。お客様はお茶屋さんにお座敷を予約、お茶屋さんは人数、予算、座の目的を聞き、料理、舞妓、芸妓の手配をして、席にふさわしい座をしつらえます。

また、旅館ではないので、お茶屋さんに寝具の類《たぐい》はありません。お酒以外のお食事は料理屋さんからの仕出しか、お茶屋さんの水屋（台所）でお料理屋さんが来て、お料理をお出しするのがふつう。芸妓や舞妓は置屋に所属していて、当日お茶屋さんや料理屋さんのお座敷に赴きます。

祇園甲部にはこんなお茶屋さんや置屋さんの他に、髪結い、かんざし、お化粧道具、履物など舞妓や芸妓が出入りするお店を中心に、雰囲気のある老舗《しにせ》の料亭、気軽に入れるレストラン、食事処《どころ》、喫茶店やお土産もの屋さんが並び、独特の雰囲気を醸し出しています。

祇園甲部の雰囲気に触れたかったらこんな気楽なお店に立ち寄るのもいいのではないでしょうか。

第五章　座を盛り上げるための芸妓の会話術

名前はお客様同士のやりとりを聞いて覚えます

私は、お会いした方の名前をその場で覚えることを心がけていました。絶対に忘れてはいけないし、人によっては誕生日や結婚記念日まで覚えています。また、いつどこで最初に会ったかということも忘れません。祇園甲部ではふつうのバーやクラブと違い、舞妓や芸妓がお客様に「お名前は？」と伺うことはありません。こちらから名刺をお渡ししますが、お客様から名刺をいただくことはありません。責任のある仕事をしている方が仕事を忘れて遊ぶ場ですから、あえて俗世間のことは聞かないのがルールなのです。お名前はお客様同士が「山田さんはどうですか？」「しかしね、鈴木さん」などとおっしゃるやりとりの中から覚えていきます。記憶の秘訣は私にもわかりませんが、長い間の訓練としか言いようがないのです。

これは百人単位のパーティの席でも同じです。さすがにパーティに出席されている人全員のお名前を覚えることはできませんが、主賓と乾杯の音頭を取られる方など主要な方のお名前はすべて覚えることが私たちの重要な仕事です。

花柳界の人間は自分の記憶力しか頼れません。全部、体で覚えるものだからです。舞は師匠を見て覚えるのですが、同時に記憶力の訓練にもなります。

したがって、物を書いて覚える習慣が身についていないのです。

私は結婚した当初から日本画の修復に興味がありました。私は一緒に住んでいた姉とともに、主人に「日本画の修復を教えてください。今日からあなたの弟子にしてください」と懇願しました。

主人は、イスに座り、股を開き、ものさしを立てて、その上にあごを置きました。

「じゃあ、教えてあげてもいいけど、メモとって」

と言いました。私は、メモ帳を探して「はい」とメモ帳を主人に渡しました。

「真面目に習いたいの？」

「当たり前やん」

「ふざけてんじゃないの？」

「真剣やし！」

「僕には真剣に見えないんだけどー」

「どういう意味やさ？」

「だから、メモをとれって言ってるじゃないか！」

「そやさかい、メモ帳渡したやんか!!」

「そぉーじゃなくて、メモをとるっていうのは帳面に習ったことを書くの!!」

「それやったら、早よゆぅーたらええやんか。ややこしい！」

後で私のすぐ上の姉が加わりましたが、三人とも自分たちの名前はノートにしっかりと書いてありますが、中身は空白です。

こんなこともありました。あるデパートで主人と私と娘がエスカレーターに一列に並んで乗っていた時、娘が、

「お母さん、こっちから見よ」

「はい、わかったぁー」

「あのなぁ、甚ちゃん」と全然知らない人に声をかけたので、その人もびっくりした顔をしていました。主人があわてて探しに来て、

「なんで間違うの！　第一、着ているものの色が違うでしょ」

「そやった、かんにん」前にいるのはてっきり主人だとばかり思い込んでいたのです。こ

んなことは日常茶飯事です。

先日お茶会がありました。その後、夫婦単位で写真を撮ろうということになった時も、主人の後ろで待っていると、

「峰子さん、いいのですか？」と聞かれました。私が「はぁ？」と聞いて見てみると、

「ご主人と違いまっせ」

「ほんまにぃ」と、自分の手を置いた方の顔を見て、

「どなたどしたぁ？」と聞いていたその時、主人が、

「こっちでしょ！」

「えらいすんまへん」私は別の方と並んで写真を撮ろうとしていたのです。

また、現役時代を知らない娘などは、私が舞を舞うと「まるで別人」と驚くのでがっかりしてしまいます。神経が張り巡らされているのは仕事の場だけなのでしょうか。

肩書きに頓着しません

私は名前を覚えるのは得意なのですが、肩書きや住んでいるところに興味はありません。祇園甲部ではお茶屋さんの女将さんはお客様から名刺をいただきますが、舞妓や芸妓は名刺をいただいたりはしませんし、あえて、どんな地位・立場の方かということも伺いません。お話しする時は仕事の話より、ご本人の趣味や興味のあることから会話の糸口を見つけていきます。

このお客様の肩書きに頓着しないという習慣は、私が引退した後も一貫していたので、おかしなこともありました。私は二十代の半ばから祇園甲部でバーを経営していました。私が引退して結婚する直前のことです。

よく店にいらっしゃるお客様の中に、ジャズのレコードを何枚も持参して店のプレーヤーにかけ「このレコードは珍しいものなんだ」とか、「ここがいいんだよ、この曲は」など言って悦に入っている犬丸さんという方がいらっしゃいました。私はジャズには興味

がなかったので、

「いったい、その曲の、どこがよろしおすのん？」

「ジャズばっかりかけんと、違うもんにしてほしいにゃけどぉー。うちの、お店やしぃ」

など憎まれ口をたたいていたのですが、結婚式の打ち合わせのために上京して有楽町の帝国ホテルのティールームに行こうとしたら、犬丸さんがロビーに立っているのを見つけました。

「いやぁ、こんにちはぁー、何してやすのん？　こんなとこで」と尋ねると、

「ここが私の職場なんですよ。峰子さん、お茶でも飲みましょうか？」とおっしゃるので、

「そんなことしたはったら、あきまへんやろぉ。早よ自分の〝持ち場〟にお帰りやす」と忠告しました。

　後になって〝ジャズマニアの犬丸さん〟が帝国ホテルの社長さんだということがわかりました。〝自分の持ち場〟は社長室だったのです。でも現場がお好きなのでよくロビーに立っていたということも後で知りました。でもそれがわかっても「へぇ、そうやったん」で終わり、また犬丸さんが私の店に来ても、「へぇ？　またジャーズぅ？」という具合。前と同じ扱いです。

仕事上では多少はしかたない部分もあるかと思いますが、人とは肩書きではなく、人間対人間として向きあったほうが、より深くおつきあいができるのではないかと思います。

三年前に出た話題も忘れません

花柳界の人間はたとえ三年間いらっしゃらなかったお客様でも、まるで昨日も来ていたかのようにもてなします。そして三年前に出た話題を忘れないのもプロの技です。たとえば三年前にいらっしゃった時に、和菓子の話が出たとします。

「あの和菓子の名前は何だったかなあ」とお客様がおっしゃってて、

「そうどしたねぇ。うちも覚えてしまへんわ。なんどしたやろぉ？」と芸妓が言い、それで別の話題に移ってそのままお開きになったとします。

さて、そのお客様が三年経って、お座敷にいらした時、

「あぁそやった、あの和菓子の名前ねぇ、あれねぇ」とその名前を言うのです。お客様はびっくりして嬉しそうになさいます。

誰でも自分のことを心に留めてもらっているのは嬉しいものです。もしあなたが、誰かと音楽の話をしていてそのまま別れ、次に会った時、「あなたが前におっしゃっていたC

D、聞きましたよ。いい曲ですね」と言われたら嬉しくなると思います。一気にその人が好きになるでしょう。

逆に、誰かが話をしている途中で、「あ、それは○○ですね。私の場合は……」などと割って入り、自分が引き継ぐばかりか、別の話題にもっていくのは最悪です。

人の話は最後まで聞くことが私たちの仕事で肝心なことです。話の方向がどちらに向くのかわかりませんが、話の腰を折ると一から話をしなければなりません。しかも、以前の話のいい雰囲気には戻らないのです。そうすると、一座にフラストレーションを引き起こし、スッキリしないお座敷になります。

「アホぶりのかしこ」と「かしこぶりのアホ」

「おぉーきに」とお座敷に入った時、そのお座敷がどんな雰囲気なのかを瞬時に摑《つか》むことが私たちの仕事です。

プライベートでくつろぐ席なのか、接待の席なのか、またちょっと難しい商談や会議が行われるのかによって、対応の仕方も変わってきます。プライベートでくつろぐ席だったら、お客様に同調し、ご贔屓の方がお客様を接待する場なら、ご贔屓の方に馴れ馴れしくせず接待される方を中心に考えます。また、難しい商談の席ならば、気持ちを引き締めて静かにしていることです。

ご贔屓のお客様がお得意様の接待をしている時に、いつもの調子でご贔屓のお客様に親しげに話しかけたりするのは、お得意様に対してもご贔屓のお客様に対しても失礼なことなのです。その場の主賓は誰かを即座に把握して、花を持たせなくてはいけません。

人間には「アホぶりのかしこ」と「かしこぶりのアホ」がいるとよく教えられました。

お客様の言ったことが自分の意見と違っていても、「そぉーどすか？」とまずうなずくようにします。その後で、〝私はこういうふうに思います〟と答えると、より深く物事を知ることができます。

こちらがよく知っていることでも、「なんのことどす？」と質問します。そうすれば話すほうは気持ちよくお話が進みます。また途中で話題が途切れ、複数の人が同時にお話しになることがあります。そんな時、一人の方が話の途中で口をつぐまれ、別の話題に移った時、私は時を見て、口をつぐまれた方に、「さっきのお話はどんなお話どした？」と水を向けるようにします。

人によっては忘れていることもあるのですが、自分のことを気に留めてもらえるのは嬉しいものです。小さなことですが、複数の人が会話する場では大事なことだと思います。

お世辞、媚を言えなくても人の信用は得られます

人づきあいが苦手で、うまい言葉をスラスラ口にすることができないならそれを逆手に取るというのはどうでしょう。実際、私もお世辞が言えないで見たまま感じたままを言っていました。

芸術家のHさんが「これからは焼き物もやっていきたい」とおっしゃって、窯場を作り陶器を作りはじめました。一流の芸術家のなさることですから、褒める人も多かったと思いますが、Hさんは正直な私の意見を求められたので、そのままお答えしました。

「なにこれ？　鍋焼きのふたぁ？」

「夏茶碗に見えない？」

「鍋焼きのふたにしか見えしまへん」

「そぉーかぁ。修業が足りないんだね」

「そぉーいうこっちゃと思いますわぁ。穴が開いてたら、もっとええのにぃ」

「じゃあ、作り直すよ」

「いやっ、かましまへんえ、うちの家のゆきひらのふたにしますしぃ」

「もらってくれるの？」

「せっかく、作ってくれはったんやし、ふたにします。おぉーきに」

「そぉーお、ありがとう」

「いぃーえぇ。おぉーきぃーにぃ」

と言うと、その方は頭を掻《か》いていらっしゃいました。何年かは陶芸をしていらしたのですが、今はおやめになったようです。

何も知らずに料亭「京坂口」に行った時、私をモデルに画をお描きになった長い髪で白髪のおじいさんが、

「一枚あげようか？」

「いいえ、おじいさん。お年かさやにゃさかい持ってお帰りやす」

「いらないのかい？」

「はい、いりまへん。上手に描けてますっさかい、持ってお帰りやす。うちは、デッサンはいりまへん。ほんまの画がええの」

「そぉーか」

何日かして、他のお稽古を済ませ、荻江節《おぎえぶし》のお師匠さんの、荻江露友《おぎえろゆう》お師匠さんの部屋にご挨拶に行った折、

「峰子ちゃん、うちのがこの間画を描いたでしょ？」

「いつどした？」

「ほんの、この間よぉ」

「おじいさぁーんな人どすか？」

「そぉーよ」

「あぁ、覚えてます」

「でしょ、うちのが初めて画をいらないて言う子がいたよ、って言ってたわよ。画が上手だったでしょ」

「上手どしたわ。そやけどお師匠さん、うちのて、お師匠さんのお弟子さんどすか？」

「違うわよ。うちの主人のことよ」

「いっやぁー知らんかった。ご・しゅ・じ・ん」

「なぜもらわなかったの？」

「いっやぁー、おじいさんやったし」

「それって、どういうことなの？」

「おじいさんが、せっかく、描かはった画やさかい、持って帰らはったほうがええと思いましてん」

「おじいさんには、物もらっちゃいけないの？」

「そんなことおへんにゃけど……」

「ガッカリしてたわよ。うちのはねぇ前田青邨ていうのよ」

「そやにゃー。お師匠さんのお名前と違うにゃ」

「そぉーよ。あたしの芸名が荻江露友ってだけでね、うちのに舞妓ちゃんを描くんなら、峰子ちゃんてゆっといたのよ」

「そぉーどしたん。えらいすんまへん。ほんで、ご・しゅ・じ・ん・の前田さんて有名なおじいさんどすか？」

「そりゃそぉーよ」

「やっぱし……」

今思い出すと前田青邨画伯のデッサンをもらっておけばよかったと非常に残念に思いま

す。

堂本印象画伯とのエピソードも印象的な思い出です。舞妓時代の「都をどり」の時期でした。ご贔屓のお客様が「月に一度祇園甲部に見える会」というのがあって、そのお座敷に行くと、お客様方が「都をどり」のパンフレットを持っていらっしゃいました。

私も出演していたので、

「今日、見てくれはったんどすかぁ。おぉーきに」

と上座のお客様にお礼を言って、

「そやけどこのパンフレットの表紙の絵が、わけがわからしまへんね。なんやら、うちにも描けそうやん」

と言うと、

「あのなぁ、五人目の人のとこに行ってゆうといで」

「はい、わかりました」と五人目の人のところに行き、もう一度同じことを言うと、

「この絵はあかんか？」とおっしゃいましたので、

「あきまへんわぁ。わけがわからしまへん。もっと都をどりらしいほうがええと思います

わ」

　と言うと黙っていらっしゃいました。

　次の日、お茶屋さんのおかあさんから電話がかかってきて「峰子ちゃん、ちょっと来て」とおっしゃるのです。車に乗ってあるお屋敷に行きました。そのお宅には大きな絵がたくさんかかっていて、「いっやぁ、上手な画やねぇ。おかあさん」と見とれていると昨日見えた方が出ていらっしゃいました。

「いっやー、きんの（昨日）はおぉーきにぃ」と言うとおじさんが、「ここにかかってる画は前にわしが描いたもんやにゃ。わしは絵が上手やろ。このパンフレットの絵は今わしが感じてることを表現したんやにゃ」

　とおっしゃるので、

「いっやぁー、堂本せんせどしたん？　えらいすんまへん。知らんかったわ」

「ほんで、あかんかぁ？」

　とまたお尋ねになるので、私はそこでも、

「意味不明」

　と答えました。でも先生には叱られませんでした。かえっておもしろがられたようです。

私はいつも私のやり方を貫いてきました。それでダメならしょうがないと思っています。人づきあいが下手と思っている人がムリにお世辞を言うことはありません。いつも正直な気持ちを言葉にするのです。

「あの人は器用ではないけれど、言うことは信用できる」「あの人はお世辞を言わない」「あの人の言うことと思っていることは同じだ」と言われるようになったら、俗にいう世渡り上手の人よりは信用されるのではないでしょうか。

褒められるのが苦手な人もいます

一般には人を褒めれば褒められた人は喜ぶものと思われていますが、そうとも言えないのではないでしょうか。特に祇園甲部にいらっしゃるお客様は、いつも他のところでたくさん称賛されている方ばかりです。その中には心にもないお世辞や、的を外れた過大評価も含まれていると思います。そんな追従《ついしょう》に惑わされまいと自分を戒めているうちに、だんだん人が信じられなくなる方が多いようです。

そんな時に遊びに来た場でまた褒められたら、猜疑心《さいぎしん》は深くなるばかりですから、私はあえて言わず、そのままの感想を言うようにしていました。

東急の五島昇さんもお世辞が苦手な方の一人でした。私を「ヌシメ、ヌシメ」と呼んで可愛がってくださいました（なぜか「娘」と発音せず、なまって「ヌシメ、ヌシメ」になるのです）。

祇園甲部にいらっしゃるとすっかりくつろいで、上着からシャツから靴下まで脱いでしまうのが癖でした。「ヌシメ、靴下」とおっしゃると私が靴下を脱がせてあげます。その靴下を、わざと汚いもののように手でつまんで遠ざけ、「臭さ〜」とでも言うように鼻をつまんでみせるととても喜んで笑われます。こんな「ごくふつうのおじさん」のような扱いが刺激的という面もあるのだと思います。五島さんはいつも祇園甲部にいらっしゃる時は着替えていらっしゃいますし、高級なシルクの靴下を履いていらっしゃるので、靴下が臭《にお》うなどということはありえないことなのです。でも、そこであえて、「臭さぁー」などとからかうほうがお世辞を言われるよりも楽しいのだと思います。

また、大阪にある繊維会社のオーナーSさんも、お世辞が嫌いな方だったので、わざとイケズを言って楽しんでいました。お座敷でお会いするとすぐに、

「そうゆーたら先斗町の○○さん姐さんがSさんのことが好きやて言うたはりましたえ。ここに来んと先斗町に行とくれやす。姐さんが待ったはりますえぇ」と言うと、

「なんでそんなわしを嫌いやにゃぁ？」と嬉しそうです。

「もう来んといとくれやす」などと言ってイケズします。

この場合もただのイケズではなく「○○さん姐さんが好いている」ということを前提にしていますので、喜べるわけです。

外で美辞麗句を振り掛けられている人ほど、本音が聞きたいのです。それは私自身も褒められるのが苦手なのでわかるのです。「峰子さん、きれいやし」と言われても私はコンプレックスの塊《かたまり》で、自分がきれいだとは思ってもいないので苦痛を感じていました。舞妓や芸妓の姿をしている時は美しく見えるようにしていたので、美しいと言われるのは当然なのです。

舞は精神的なものなので、「都をどり」や「温秋会」を見てくださった方が、口々に褒めてくださっても私は「嘘に決まってるやん。あそこもあかんし、ここもあかん」と思う暗い性格なので、嬉しいとは思えません。でも時折、お客様の中で舞の心得のある方が、「あの場面がよかった」と具体的に褒めてくださったところが我ながらうまくできたと思ったところだったりすると嬉しくなります。

褒めるだけではなく、「あそこはまずかった」という批評は大事です。むやみに褒めることが決して人の心を摑むことにはならないこと、優れた人ほどお世辞には乗らないこと、キチンと評価することがやたらに褒めるよりも受け入れられるということは、祇園甲部の暮らしで学んだことです。

峰子流お座敷の盛り上げ術

本来、根クラな性格で接客業には向いていない私が、お客様に喜んでいただけるように考案した工夫を紹介しましょう。

○講談師で拍手喝采

舞妓時代の写真の中に楽屋の縁側に座って本を読んでいるものがあります。私は読書が大好きで、暇があると本を読んでいたのでこんなスナップが残っているのです。

お座敷ではお客様と、今話題の小説や映画、お芝居や美術展のこと、その日のニュースなどが話題になります。お客様は第一線で活躍している方が多く、博識で教養も深い方ばかり。そんな方のお話を理解するためにも常日頃からの勉強が大事なのです。特に歴史小説が好きで、山本周五郎、池波正太郎、山岡荘八、司馬遼太郎各先生の歴史小説はほとんど読んでいました。

その中でも山岡壮八先生のベストセラー『徳川家康』には熱中して、お座敷でよくストーリーをお客様にお聞かせしていました。「峰ちゃん、『徳川家康』聞かして」とリクエストがあると、待ってましたとばかりに、普段は舞を舞う場所に座布団を敷いて、「では、桶狭間の一戦を」と言って始めます。

あらかじめ「よし、今川義元をものすご悪者にして話ししょ」など私流にアレンジしてあり、講談師よろしく語ってお聞かせするのです。お客様も姐さんも舞妓さんたちもヤンヤヤンヤの大喝采でした。

この調子で歌舞伎の「白浪五人男」や「お富さん」なども〝上演〟しました。また、お座敷で何か余興のようなものがあれば、お客様も退屈しないのではと考えた末に思いついたのが「峰子の小噺《こばなし》」です。落語家がする小噺を真似して、私もお座敷で披露するのです。座が静かになってきたと思ったら、「それでは小噺その一」と始めます。自分ではつまらない人間だと思っているのですが、生来ボケ役の要素もあるらしく、ウケました。

○ コンシェルジェの役目も

「峰子さん、ご飯を食べに行きたいんだけど、どこの店がおいしい？」

お客様にそんなことを聞かれることもあります。そのためにいつも新しい情報を得ておくのも大事な仕事です。

「こないだ（この間）開店しゃはったイタリアのレストランがおいしいのどすて」「ここの懐石はおいしいおっせ」と旬の情報をストックしておくために、食べ歩きしたり、暇な時間に名所を見たりしていました。

ご贔屓の方々は毎日仕事が忙しくてなかなか美術展に足を運ぶ時間が持てないので、情報をご提供する役目もありました。

たとえば「院展」があれば、○○さんの作品がこういうテーマでこんな大きさで描かれていて、このようによかったということを逐一お話しします。お客様は新しい情報を仕入れることができ、他でそんな話題になった時にも困らないのです。

お客様を案内して京都のお寺に行く場合も多々ありました。私は大原にある三千院というお寺の襖に描かれた下村観山の「虹」が大好きで、ぜひ見ていただきたいと思っています。いろいろなお寺を拝観して庭園や作品を見つけては、お客様をお連れしていました。

お客様が二人でタクシーで行く場合、後ろの座席に余裕があるとしても助手席に乗るようにしております。助手席は接待する者の席で、お客様に京都の町の様子をご案内するにはぴったりです。また、京都のタクシーの運転手さんは仕事柄、町の様子に詳しいので、「ここは説明してください」と頼んだりもできます。今でもお客様を案内する時には助手席に座ります。お客様は後部座席にゆったりくつろいで座っていただいて、私は助手席。今でも、つい、あれこれと京都の案内をしてしまうのは、その当時の習慣が残っているのでしょう。

○場が盛り下がった時

舞妓、芸妓で大事なのは美貌だとおっしゃる方もいらっしゃいますが、実はそうではないと思います。確かに、美貌でならす人もいますが、黙って座っているだけの人もいて、私は密かにそんな方を（お花泥棒や）と思っています。それより、おもしろい話をして場を盛り上げることが芸妓の仕事なのです。

お話をしていて、座がシーンとなってしまった時は気分転換が必要です。そんな時は、舞をお見せしたり、陽気なチャリ舞で座を盛り上げます。峰子流の「小噺その一」や「講談・徳川家康」も場によっては演じることがあります。

私は、お座敷はお客様と私たちの一期一会の作品と思っていますが、時と場合によってはどうしようもなく盛り上がらずに、何をしても静かになってしまうこともあります。

　このような時は潔く、徹底的に「盛り下がらせて」しまって、他日を期するのがいいのです。あまり、そのお座敷に固執すると収拾がつかなくなりますので、ここは、「おとも言いまひょか？」とお茶屋さんのおかあさんの出番です。

○〝女〟を売り物にしない

　舞妓時代には「ぼん」と呼ばれていました。「ぼん」というのは関西では「男の子」という意味です。さばさばして、やんちゃなふるまいがまるで男の子のようだったからでしょう。芸妓になってからは「オコゼ」や「蜂」と渾名《あだな》で呼ばれていました。触ろうとすると体中のトゲを立てて怒るからです。人によっては色気を売り物にしている人もおりましたが、祇園甲部の舞妓、芸妓は芸と話術でお客様にくつろいでいただくことが仕事です。

　振り返ってみると、そのほうが人とのつきあいが長続きするのです。恋愛感情は一時のこと、それよりもお客様とは、人としてつきあうほうが楽しいし、精神的に深いおつきあいができます。

　今でも花柳界というと男性のお客様が多いのですが、女性のお客様も以前より増えて、嬉しい限りです。

○ 相手を傷つけずに断る法

お客様に誘われて、困った依頼をされた時の上手な断り方です。

「今度、食事に行こう」と好きではないお客様に言われた時、私たちは、「おぉーきに」とお返事をします。「おおきに」は「ありがとう」ですから、本来は「お誘いいただいてありがとうございます」という意味でお食事に行くのかと思われるかもしれませんが、言い方が違うのです。断る時は、悠長に長く伸ばして、「へえ、お〜〜きに〜」とニッコリ笑って目をそらせます。

「何がいい？　新しくできた店がおいしいと評判だけど」と言われても、悠長に「お〜おきにぃー、また今度目〜」を繰り返します。

これで、「行きたくないんだな」と察していただけるとありがたいのですが額面どおりに受け取って、

「じゃあ、いつがいい？」と聞かれることがあります。そんな時は、やはりにっこり笑って、

「帳面が家にあんので、今持ってまへんしわからしまへん。かんにんどっせ」

ととぼけておきます。京都の言葉には含みが多くてわかりづらいと他の方々はおっしゃいますが、これは、お互いを傷つけずにおつきあいをするためで、長い間に培われた京都の独特な言い回しの方法です。

本当に「ありがとう」と言う時は、

「ほんまにぃ。おぉーきに。ほな、いつがよろしおす？」

と言い、後でお茶屋さんを通してスケジュールの打ち合わせをします。逆にお食事に誘ってほしい時、私はこちらからお誘いします。まずお客様に、

「手帳出して。手帳」

と強引に言います。お客様が、

「なんえー？」といぶかしげに手帳を出すと、

「見たいことがありますねぇ」と手帳を出してもらい、

「あっ、ここ空いてる。この日、ご飯食べしてほしい。（同僚の舞妓を呼んで）○○ちゃん、かまへんやんなぁ。この日、ご飯食べしてもらおぉーさぁ」と段取りをつけてしまうのです（食事に行く時もお客様と二人だけでは行かないのが祇園甲部のルールです）。お

客様は、よくご存じですので、なんとも強引なやり方ですが、「ほんまにぃー、しょがないなぁ」と言いつつ笑顔になり、私たちのわがままを許してくださるのです。そんな時は、「おぉーおきぃーにぃ」と元気に答えます。

「おおきに」は京都ではとても便利な言葉なのです。

こちらが悪くなくてもあやまる場合もあります

こちらが悪くなくても、あやまることが重要な時もあります。私はよく先輩のお姐さんたちにイケズをされました。舞台に出る前、準備していた舞の道具がなくなったりするのはしょっちゅうでした。舞妓時代からお座敷に出ようと襖を開けた途端、「やり方が悪い」と言われて何度もやり直しをさせられたり、それが終わったかと思うと「お徳利の持ち方が悪い」「お辞儀の仕方が悪い」と揚げ足を取られたりもしました。でも、不思議に自分に対するイケズは苦にならなかったのです。

反対に、憤懣を他に向けて嫉妬《しっと》するしかないのはたいへんだろうな、と気の毒に思っていたくらいです。

しかし、後輩の妓がお座敷でイケズされることには我慢ができませんでした。後輩が先輩にお座敷でイケズされた時、相手が先輩なので「姐さん、なんでイケズしゃはんのどす！」とその場では直接言えません。次の朝、決まって和菓子屋さんに行きお菓子をあつらえて、姐さんのご自宅に伺います。京都にはたくさんの和菓子屋さんがあり、季節の主菓子を作ってくれるのです。

「こんにちはー姐さん、おいやすか？　峰子どすぅー。姐さん○○屋さんで姐さんの大好きなもん、作ってもろてきました」をきっかけに話し出します。

「昨日は、えらいすんまへん。かんにんどっせ。これからよぉー気ぃつけはるように言いまっさかい。かんにんしとぉくれやす」とこちらが悪くなくてもあやまるのです。先方は、ご自分が意地悪したとわかっていますから、何も言えません。それでていねいに挨拶して帰ってきます。その後、意地悪はなくなったので効き目は抜群だったといえるでしょう。理不尽なふるまいに対する峰子流の裏技です。

一生分の冷や汗をかいた一世一代の大失敗

どんなに親しくてもお客様と接待する側の一線を越えてはいけないとわかっていたのに失敗したことがあります。私の苦い経験をお話ししましょう。

ご贔屓の社長さんの事業がうまくいかなくて世に言うリストラをしなくてはいけなくなった時のことです。最終的にこの人に辞めてもらうしかないと判断された頃、その会社の宴会があったのです。もちろん、リストラされる社員の方もご一緒です。長い間ご贔屓にしていただいたので、私は胸がいっぱいになってしまいました。

宴会が終わって、玄関までお見送りした時、一瞬気がゆるみ、私はその方に向かって、ポロッと

「長い間おぉーきにありがとうございました」と言ってしまったのです。

「え？　どうしたの？」と問い返されて脇の下から背中からどっと一生分の汗が流れる心地でした。とっさに、

「いや、もしかして、うち辞めるかもしれしまへんね」と自分のことにして急場をしのぎました。

「そう。なんかあったの?」と親切に聞いてくださるお客様に顔も上げられず、しどろもどろになって
「いやぁ、いろいろ思うとこがあって」と弁解しました。その後、その方とはお目にかかってはおりませんし、社長に後で雷を落とされました。

それ以来、絶対、お客様の仕事の話は聞いても、立ち入らないようにしています。

今も思い出したくない、冷や汗が流れる失敗談です。

落ち込んでいる人を励ますのは難しいものです

私は毎年、八月一五日が近づくと谷川徹三先生と昭和天皇様の話を思い出します。軽井沢でこの話をしてくださった時、「私は後悔しているんだよ」と先生はしょんぼりしていらっしゃいました。

それは終戦直後のある日のこと。昭和天皇様のご学友でもあった先生は、勉強会でお会いする天皇様のネクタイがいつも同じであることに気がついたそうです。当時は食糧難で、天皇様は国民が食べられないのに自分たちだけが食べるわけにはいかないとおっしゃり、お芋が三つにめざしが二匹、お茶碗にお粥《かゆ》一膳というお食事を召し上がっていらっしゃったそうです。

谷川先生もそんな生活を送っておられたのですが、陛下のネクタイがいつも同じというのはあんまりだと思い、「陛下、ネクタイをお持ちしましょうか」と伺われたそうです。するとと陛下は、「いや、このネクタイは良子《ながこ》（香淳皇后様）がきれいにツギを当ててくれて、ていねいにアイロンをかけてくれるからこれでいいんです。大丈夫です」とおっしゃったそうです。

谷川先生は小さな声で、「峰子ちゃんね、私はなんておこがましいことを陛下に申し上げたんだろう」とうなだれています。私も胸がいっぱいになりました（今でもこのお話を思い出すだけで涙が出そうになります）。

でも、私も一緒になってしょんぼりしていてはいられません。わざと「いやっ！　ほなったらうちがもろたらよかったんやねぇ」と言ってみました。谷川先生がちょっと微笑まれたのを見て、ほっとした私でした。

第六章　常にお客様に気を配る芸奴の仕事術

顔を覚えてもらうことからスタート

舞妓や芸妓が、その場の中で自分がすべき役目をとっさに察知して行動する気転や気配り、これが花柳界の仕事の醍醐味《だいごみ》です。この章は私が祇園甲部で見聞きした、よりよい仕事の仕方についてお話しししたいと思います。

祇園甲部で舞妓や芸妓になる人は、まず〝仕込みさん〟として置屋に住み込みます。置屋から学校に通い、お稽古を積み重ね、置屋のおかあさんや先輩の舞妓、芸妓など姐さんと一緒に共同生活をする中で礼儀やしきたりを学んでいきます。この新人時代は基礎作りをするための時間です。

一生懸命お稽古する人や礼儀正しい人は、次第にお師匠さん方、お茶屋さんのおかあさん、祇園甲部でお商売をしている人たちの間で評判が高まっていきます。仕込みさんは多くの人に自分の存在を知ってもらう目的で、先輩の舞妓さんや芸妓さんが次のお座敷に移る時は取り次ぎのためにお茶屋さんに出向きます。この機会にお茶屋さんの皆さんに、自分の顔を覚えてもらうのです。

やがて舞妓として店出し（デビュー）をするのですが、私は店出ししてからの一年間、朝のお稽古帰りには必ず何軒かのお茶屋さんを訪問していました。その日に顔を出すと決まっているお座敷以外のお茶屋さんを訪問して、

「おはよぉーさんどす。峰子どす」と挨拶します。すると、おかあさんか、仲居さん、女衆さんが出てきます。

「おはよぉーさんどす。峰子ちゃんなんぞ用どすか？」

「おぉーきに、今日、うち八時三〇分から十五分ぐらい空いてますし、もし、お客さんがおいやしたら、うち呼んでほしいのどすけど？」と頼むのです。

お座敷にどの芸妓・舞妓を呼ぶかは基本的にはお茶屋さんのおかあさんの裁量になりますので、日頃から挨拶しておき、私の言ったとおりの時間にお座敷がかかるとその分、私の売り上げが伸びるのです。また、毎日お茶屋さん回りをすることでおかあさんのほうから、「いっやぁ。峰子ちゃん来てくれはったん。ほな、今日はダレソレさんがおいでやすし、ご挨拶だけでも来とくれやす」という場合もあります。私の場合はいつもお花をかけ

てもらっていても、忙しくて行けないお座敷が多かったので、お茶屋さんに自分の日頃の失礼をお詫びしているという意味でもありました。

昭和三〇年代前半、祇園甲部に約千人の芸妓・舞妓たちがいた頃はお茶を引く人（お座敷に呼んでもらえない人）が多く、お茶屋さんへの挨拶回りは習慣になっていました。私がデビューした昭和四〇年代には芸妓・舞妓の数は七百〜八百人でしたが、この習慣はなくなっていました。しかし、逆にいい営業活動だと思いましたのでお茶屋さん回りをしていたのです。

徳利の傾きも見逃さない気転と気配り

お座敷では、どれだけ気転がきくかが重要なポイントになります。

お客様が召し上がるお酒の量に注意して、次のお徳利を用意します。といっても姐さんの持っているお徳利の中身はわかりませんので、姐さんが注《つ》ぐお徳利の傾き加減で残りの量を推量して、あと二、三杯でおしまいになる頃に、仲居さんにお願いしたり、自分でお燗番のところへお酒を取りに入ってお座敷に戻ります。

お酒がなくなったと同時に新しいお酒が運ばれるように手配ができたらひとつ合格です。姐さんが最後まで注ぎきってしまって後が来なかったら、自分の持っているお徳利を姐さんに渡して次のお酒を取りに行くのですが、お酒がなくなっても次のお徳利がなかなか来ないようだと、姐さんとお客様の話の腰を折ることになり座がしらけます。

いくら美人でも座ったまま「そうどすぅ」などと相槌《あいづち》を打っているだけでは「いつまでも、気のつかん子やな」と思われるのがオチです。先を読んでタッタと動き回る子がいい舞妓や芸妓になる可能性があり、出入りのきれいな人に育ち、後でこの大切さがわかるのです。これは一般の社会でも同じではないでしょうか。

〝基本的な仕事〟を習得することが重要です

私たちがなぜ、舞妓と呼ばれるのか、それは京舞井上流を学び「立《た》ち方《かた》」として店出しをするからです。舞妓にとって舞を舞うことが仕事の基本です。また、芸妓から店出しをする人は、邦楽が基本になります。邦楽には、いろいろな流儀がありますが、三味線、唄などをお稽古します。お囃子《はやし》は、立ち方が兼務します。

舞妓や芸妓にとって、毎日のお稽古は欠かしてはならないのです。私は舞妓から店出しをしましたが、その頃の井上流は層が厚く、舞の名手がキラ星のように輝いていました。いったいいつになったら、姐さんのようになれるのだろうと思っていました。

私は、舞のお稽古が大好きだったので、毎朝、八時半に祇園甲部の歌舞練場に併設されている「学校法人　八坂女紅場学園《やさかにょこうばがくえん》」の井上流家元・四世井上八千代師匠のお稽古場に行き、朝一番のお稽古をつけてもらっておりました。舞に限らず、芸事や仕事でも続けることが力になると思います。たとえ五分、十分であっても、それを毎日何十年と続けていく、その集大成が芸の力です。私は、デビューする前の十年間にお稽古を休んだのは二日だけ。高熱を押してお稽古に行き、舞台の上でひっくり返ってしまったこともあります。

舞のお稽古を積み重ねることが私たちの精神的なよりどころでした。

お座敷には波があり、うまくいく時といかない時があります。一瞬でもうまくいかないと落ち込む性格なので、そんな時の心の支えになるのが、基本であるお稽古です。一に反省、二に反省。三、四に反省、五に反省して、舞のお稽古、お囃子のお稽古、書道、茶道を弛《たゆ》まずお稽古することによって、平常心を養い、精神的なゆとりを持つようになりました。常連のお客様だとお座敷ではそうそう舞を舞いませんから、お座敷では新しく習得した舞を披露する機会はなかなかないのが現状です。しかし、そんな時でも年に何回もある舞台で芸を披露するのを励みにしてきたのです。

ビジネスマンの方も学校で専攻したことを継続して少しずつでも勉強したり、語学力を磨いたりしてはどうでしょうか。実際の仕事の役に立つかどうかは別にしても、精神的な支えになり自信につながると思います。

自分の個性を消すほど真似をします

舞のお稽古に限らず、邦楽のお稽古は師匠を真似ることから始まります。〝自分〟という個性を消すくらいに真似をするのは精神修養のように厳しいものです。しかし、消したはずの個性は消えてしまったのではありません。同じ師匠の型を徹底的に真似しても、私の舞と別のお弟子さんの舞は違います。

以前、夫の岩崎甚一郎とその話をしたことがあります。夫は日本画家ですが、絵の修復方法のひとつに国宝や重要文化財の模写があります。夫はこう言いました。

「Aという人とBという人が、ある国宝の模写をしたとする。Aの模写した絵と原画はそっくり。そして、Bの模写と原画も同じ絵のように似ている。しかし、Aの模写とBの模写の絵を比べると違いがある。消したはずの自分が出てくる、これが〝個〟だと思う。似ているということははじめから違うということだよ」

舞の世界でも型を習い、お座敷でもお客様を第一に考えて、自分のことは二の次です。

徹底的にそうしていても、どこかに〝自分らしさ〟が顔をのぞかせるのです。

現役の頃はお座敷の他に年に十数回、舞の舞台を勤めていました。日頃のお座敷でも舞を披露しますが、舞台はお稽古の成果を見ていただくよい機会なのです。お客様の反応がそのまま伝わるのが醍醐味でもあり、自分も感動するところです。それだけに、幕が上がる前はいつも緊張します。長年、舞台を勤めるとその舞台の出来不出来が推測できるようになります。

私が実感したのは、善《よ》し悪《あ》しは最初の一瞬で決まるということです。

お客様が客席に入り、第一ベルが鳴ると客席が一斉にざわめきます。第二ベルでは客席は水を打ったように静かになります。そして、拍子木が鳴ると同時に幕が切って落とされ、私たちを見た瞬間お客様が、「ハァー」とため息をもらしたら、もう舞台の上にいる者の「勝ち」です。好きなように舞うことができ、舞台と客席が一体になります。

逆に幕が切って落とされた時にお客様が「ん?」という感じで舞台を観察しだすと、私たちは硬くなって思うように舞うことができなかったり間違ったりします。理屈ではなく第一印象で人を引きつけられるかどうか、日頃の稽古はそのために積み重ねられるのです。

峰子流プロフェッショナル仕事術

私が舞妓としてお座敷に出る時、いつも注意されていたのは次のようなことです。まず、「いつも笑顔で、堂々としていること」これはいつも「私たちは誇りある職業婦人だ」と言っていた「岩崎」のおかあちゃんの口癖です。また、私にとって実家の父の教え、「誇りを持て、そして潔く」も大事な座右の銘でした。

○新幹線や飛行機の中で居眠りしない

現役時代、特に舞妓時代に東京や地方のパーティ、宴会に呼ばれて新幹線や飛行機で移動していました。舞妓姿で新幹線や飛行機に乗るので修学旅行の学生さんや一般の方々が写真を撮り、周囲は非常に賑やかです。朝からお稽古、夜のお座敷と睡眠時間は三時間ほどなのでいつも眠いのですが、新幹線や飛行機の中では居眠りしないようにしています。

友達は移動の時にはコックリ、コックリ舟を漕いでいました。同じ方向に舟を漕いでいる時はいいのですが、ちょっと方向が違うとさぁーたいへん。花かんざしが交互になって結った髪がバラバラになり、直すのに時間がかかるのです。私はその時、居眠りする舞妓さんを見たら、皆さん、ガッカリするのではないかと思いましたので、今でも人前で醜態をさらさないことをモットーにしています。

○英語とエステで自分磨き

舞妓時代に英語も習っておりました。祇園甲部は第二の迎賓館として海外からのＶＩＰがお見えになることが多かったので、これからの時代は英語かフランス語が必要になるのではないかと思っていました。でも、「女紅場」の課目には舞や茶道はあっても外国語はなかったのです。そこで京都大学の先生にお願いして、アメリカのスピーチコンテストで優勝した女性を家庭教師にお迎えして五年間勉強しました。今はもうほとんど忘れてしまいましたが、海外からのお客様の接待を日常会話レベルならこなすことができました。

これと並行してエステティックも集中的に受けていました。月末の三日間をお休みにして、ニューオータニ（東京）で肌の手入れを行います。この三日間は私にとって貴重なヒーリングタイム。静かに小説を読み、ゆっくり休んで鋭気を養っていました。この三日間のお花代は、東京のご贔屓のお客様にお支払いいただくことになっておりました。私を贔屓にしてくださるお客様は、自分の誇りとして自分がお座敷に上がる時、接待する私が美しくなければならなかったからです。

○二十四時間舞妓・芸妓です

プロと呼ばれるにはどうしたらいいか？　すべきことは何か、現役時代の私の一日のスケジュールを紹介したいと思います。

六時に起床して、稽古着に着替え、まず舞の稽古をします。八時二〇分には歌舞練場の隣の女紅場に到着して、井上流家元・四世井上八千代師匠がいらっしゃる前にお稽古の道具やお茶を用意しておきます。八時半に家元が見えますので、お茶をお出しして一服していただいてから、舞の稽古を一番《ひとつ》つけてもらいます。私は誰よりも先にお稽古していただくのが好きでしたので、自然とお道具の用意をすることになります。

次に小さいお師匠さんのところで、「二度稽古」と呼ばれる舞の稽古をし、三味線、お囃子、お仕舞、お茶の稽古で終わります。時には、生け花のお稽古もしていました。

一二時三〇分ぐらいにお稽古事を終え、帰りにお茶屋さん回りをして、その日のお客様やお座敷のことなどをお茶屋さんと打ち合わせをします。家に帰って昼食をとりながらその日のスケジュールを聞いてお座敷を回る計画を立てます。

三時半頃にお風呂に入り、おこしらえ（お座敷の準備）をするまでは、自由時間です。最初のお座敷（五時）に間に合うように男衆さんが来て衣装を着付けてくれます。

午前二時頃にすべてのお座敷が終わると家に帰って、衣装を脱ぎ、鏡台前で「今日の自分は賢かったか？」と、ブツブツと独り言を言いながらお化粧を落とし、自分の納得いくまで舞のお稽古をして、お風呂に入りながら読書をします。気がつくと四時で就寝。

時には地方に出かけることもありました。

東北に一週間の出張に行った時は、朝八時からお茶を点《た》て、舞を見せ、着物のお見立てをして、宴会が終わるのはほとんど午前零時前でした。朝六時出発なので二時間前に起床しておこしらえをするのにもかかわらず、一緒に行った先輩舞妓の姐さんはなかなか起きてはくれません。夜の宴会になると八時に自分の部屋に帰ってしまうので、どうしても一人、宴会が終わるまでいなければなりませんでした。姐さんに抗議しましたが、全然聞き入れてくれず、一週間後京都に帰ってきた時には、体重が四キロ減っていました（この頃、私が恐れていたことは体重が減ることでしたが後の祭りでした）。

お客様のサインの入った扇子は他では使わないのが仁義

お客様がサインした扇子は他のお客様のお座敷には使いません。

祇園甲部には古典芸能や、スポーツ界で人気のある方がいらっしゃいますが、私は、その方たちにサインをいただいたことはありません。もし、持っている扇子にサインが入っていたら別の方のお座敷に持っていくこともありえません。必ず、扇子を取り替えてから伺います。

前にも書いたように、最初に襖を開けて挨拶する時、扇子を前に置いて「おぉーきにぃ」とお辞儀をしますが、それは今からはこの扇子から向こう側がお客様、こちらが接待する側というケジメをつける意味があるのです。そんな時に、別の方のサインが入った扇子を持つことは、そのお客様にとても失礼だと思います。もちろん、扇子を開かなければわからないことなのですが、サインが入っていることは自分が知っていますので失礼のないようにいつも気をつけておりました。

アメリカのフォード大統領がお見えになった時のことです。

フォード大統領は一階のお座敷でしたが、キッシンジャー国務長官は二階のお座敷でした。私は、フォード大統領のお座敷に参りましたが、姉の八重千代は、二階のキッシンジャーさんのお座敷に出ました。

キッシンジャーさんは、機知に富んだ方で日本のことに造詣が深い方です。たいへんおもしろいお座敷になったので、下のお座敷にいる私を姉が呼びにきました。上のお座敷に来てキッシンジャーさんと英語で接してくれと言うのです。なるほど、キッシンジャーさんは非常にひょうきんな方で、チャリ舞を教えてくれとおっしゃっています。私も嬉しくなって一生懸命教えている最中に、下のお座敷に呼び返されました。その間に姉は、井上流の舞扇にキッシンジャーさんのサインをもらっていたのです。私は、びっくりして、

「姐さん、許し物の舞扇にサインて、どういうことどす？」

「そぉーかて、人に見えへんやん」

「大っきお師匠さんになんてゆわはりますのん？　その、扇はもう使えしまへんやん」

「ゆわへんかったら、わからへんやん」

「そぉーかて、自分が知ってまっしゃんか！」

「どぉーもないて」

「へぇー、そういう人やにゃ」と自分の姉ながらがっかりしました。キッシンジャーさんに罪はありません。私の姉にプライドがないだけのことです。

きっぱり断ったお座敷があります

　ある会社で社長がお亡くなりになると同時に後継者を巡って争いがありました。あわただしく会議が開かれ、次の社長が決まりました。後継者には何人かの候補があったはずですがそれらの方々は事実上、無視された形になりました。内部の事情に詳しい方の話によると「会社がまるで乗っ取られたようだった」そうです。

　お仕事上のことはわかりませんが、前社長のお葬儀も社葬にいたしませんでしたし、残された奥様への待遇など、次の経営者の方には温かみも感じられませんでした。そこで「今後、その会社のお座敷にはよぉー出さしてもらわしまへん」とその会社が懇意にしておられたお茶屋さんに申し上げました。

「そうどすねぇ。ほな、わかりましたぁ」とおかあさんがおっしゃいましたので、てっきりそのお茶屋さんもお座敷を断るのかと思っていましたが、そのお茶屋さんは新しくトップになった方のお座敷を受けていたようです。仁義がないことだと私は悔しい思いをしましたが、私だけでも筋を通したいと思って、今でもその会社の商品も買っていません。私一人がそんなことをしても影響はなく、私も何の得にもならないことではあります。でも、私なりに仁義を通したいと思っています。仕事をする人間としてこんなことも意外に大事なのではないでしょうか。

舞妓から芸妓へ、そして引退まで

かつて与謝野晶子女史が、歌集『みだれ髪』で、

清水へ祇園をよぎる桜月夜こよひ逢ふ人みなうつくしき

と詠《よ》み、吉井勇先生が歌集『酒ほがひ』で、

かにかくに祇園はこひし寝るときも枕の下を水のながるる

と詠んだように、日本人にとって祇園甲部は華やかでミステリアスな場所として捉えられているようです。そのわりに「舞妓さんと芸妓さんてどう違うの?」「お茶屋さんにはどうしたら行けるの?」など、あまり詳しくはご存じでない方が多く、また間違った認識をしている向きがあり悲しい思いをしています。そこで私がどんな現役時代を送ったかを紹介しながら、芸妓、舞妓の仕事についてお話ししていきたいと思います。

最初にお話ししたように、私は五歳の時、祇園甲部にやってきました。一番上の姉・八重子が祇園甲部で芸妓をしており、その関係で「岩崎」の女将、岩崎今さんと懇意にして

いました。ある日、山科の家にやってきたお今さんが四歳の私を一目見て「この子を跡取りにしたい」と思ったのが始まりです。両親は反対しましたが、私は祇園甲部に行くことを決意し、五歳で祇園新橋花見小路の「岩崎」にやってきました。

舞妓を志願して祇園甲部に来る方の理由はさまざまです。一部の小説などでは女衒《ぜげん》が全国を回って女の子を買ってくるなどという描写があり、「いったいどこの話？」とびっくりしてしまいます。私が現役時代には「峰子さんの妹分になりたい」と志願してくる方が多く断るのにたいへんでした。今ではインターネットで応募してくる子もいるそうです。芸事に精進し、舞妓や芸妓が自立した職業であることは今も昔も変わりはありません。芸妓、舞妓は一流のものに触れ、本物を見極める目を培わなければなりません。そのためには、見るもの、聞くもの、触れるものなど身の回りのものも厳選された品質のものばかりです。

やがて、六歳の六月六日、京舞井上流家元・四世井上八千代の直弟子として入門しました。小学校に行きながら舞のお稽古に精を出し、舞台では「毒きのこ」や「いも虫」の役を喜んで勤めていました。

十五歳の時、舞妓試験を受け合格、三月二六日に店出しをしました。

店出しをした時の髪型は、「割れしのぶ」といいます。おおよそ二年この髪型をしています。十七歳の時「水揚げ」の儀式をしました。髪型は、それまでの「割れしのぶ」から、本衣装、替え衣装の正式な衣装を身につける時は「やっこ」、祇園祭の一カ月間は「勝山」、常着の衣装の時は「おふく」という髪型に変えます。店出しの時より「水揚げ」の儀式の時は質素です（経費がかからないのです）。

家元、岩崎の本家、岩崎の別家筋に配り物をして「岩崎」の本家である「坂口」のおかあさん、「岩崎」のおかあちゃん、姉の八重千代とお杯を交わします。「水揚げ」は舞妓のステップアップのための通過儀礼、（武士でいえば元服、一般でいえば十三参り）ですが、どういうわけか「水揚げ」には今でも淫靡なイメージがあるのです（辞書を引くとこの言葉は「①漁獲高」となっていますが、次に「②処女をささげること」となっています。昭和三一年に「売春防止法」が成立していますから当然、この解説は意味がありません。こんなことが花柳界への誤解を招いているのです。できればこの項目は削除するべきではないかと考えます）。

襟替えをしたのが二十一歳の誕生日です。襟替えというのは襟を舞妓時代の赤から白に替えることです。衣装は舞妓の時とはまったく違うのですが、ややこしくなるので赤襟から白襟になるというのが一番わかりやすいと思います。これで芸妓になったということになります。襟替え前の一カ月は先笄《さっこう》という髪型です。

店出しの時もそうでしたが、襟替えにもたくさんの費用がかかります。「岩崎」のおかあちゃんに「どうしたらええのぉ？」と聞くと、「うちらは立派な職業婦人や。おかあちゃんがちゃんとしたげる」と言われました。

その頃、「岩崎」と私にはご贔屓にしてくださるお客様が百人ぐらいいらっしゃいました。この方たちからはお祝いをたくさんいただきました。お祝いをいただくと、「目録」といって、障子の半分ぐらいの大きさの紙にお祝いをいただいた方のお名前を書いて置屋の壁に張り出します。この枚数が人気のバロメーター、私の場合は京都の茶道関係のご贔屓、各企業のオーナーの方々、学者の方やお茶屋さんなど百枚以上もあり、家中に張る場所がなくなって、しまいには離れの座敷にまで張る始末で、ありがたいことだと思いました。

襟替えをして芸妓になるということは一本立ち（自立）をするということです。ふつう、舞妓さんは住み込みで、年季奉公をします。必要な着物や食費、お稽古の費用など生活費一切を置屋に負担してもらい、お給料の代わりにお小遣い程度をおかあさんからもらいます。その他自分の稼いだお金は自立するまで置家が管理します。年季奉公はだいたい六年ぐらいですが、舞妓から芸妓になるには四、五年かかります。

年季があけて、自立するためには置屋さんを出なければなりません。置屋さんには表札を置いてもらい、これを店借りといいます。お茶屋さんとの取り次ぎはもちろん、お座敷のスケジュール管理などをしてもらい、手数料を置屋さんに払うという形になります。自立してからはお座敷に出たお花代はすべて自分のものになります。かつらや着物をあつらえたりする費用もかかり、自分一人でなんでもするという大人としての責任が出てくるのは一般社会と同じことです。

芸妓になって九年経ち、私が引退したのは昭和五五年、二十九歳の時のことです。祇園甲部では引退する際に引き祝いといって、引き出物を用意しますが、そのひとつに重箱に入った「紅白の白蒸し」を、「またここに戻ってくるかもしれません」という意味を込めて配るのが習わしです。

ところが私は「もう二度と戻りません」という意味を込め白蒸しだけを配りました。こよなく祇園甲部を愛する気持ちには変わりないものの、古い伝統や時代遅れのしきたりに不満がありました。いろいろなことを再三上の方に申し上げたのですが、変わることはありませんでした。もうここではすべてのことは終えたと再度決意したのです。

引退にあたってはご贔屓筋や周りの方々から引き止める声が聞かれましたが、一度言い出したらきかない私の性格を知って、皆さんあきらめたようです。

私は、違う仕事がしたいと思っていました。美容室とエステティックサロンを兼ねているような店を出したかったのです。女性には男性にない美しいものがあると、女性に実感してほしかったのです。いろいろリサーチしていたのですが、その頃、ふとしたきっかけで一人の若い日本画家に出会いました。「三カ月で離婚しよう」ということを前提に二、三日後に結婚してもらいました。この日本画家が主人の岩崎甚一郎です。

二人の子どもを出産して育児に追われ、また、甚一郎のマネージャーとして見よう見まねで画商の仕事もするようになりました。本の出版などもしましたが、最初に書いたように本来、接客業が苦手だった私はこの「ふつうの結婚生活」に満足して現在に至っています。

第七章　ツーカーでわかる祇園のチームワーク

裏方の人は意外な情報を持っています

どんな仕事でも一人の力では何もできません。何人かでそれぞれの役割を果たし、ひとつの仕事を成しとげるチームワークが大切です。花柳界もそれは同じことです。お客様に喜んでいただけるお座敷にするために、見えない部分で多くの人が働いています。

表に出る芸妓や舞妓、お茶屋さんのおかあさん、またお客様の目に触れることのない置屋のシステムを紹介したいと思います。

一般社会では男性の仕事とされていることをする人を、花柳界では「表に出る人」と言い、それが芸妓や舞妓のことです。しかし、縁の下の力持ちといわれるように、下足番やお燗番、仲居さん、女衆さんなど、奥向きの仕事をする人が支えている部分が多いのです。

私は奥で仕事をする人とお話をするのが大好きでした。あるお座敷で「このお客さんはどぉーしたらええかわからへんなぁ」と思うお客様がいらっしゃいました。その時は下足

番に、

「おっちゃん、ちょっと聞きたいことあんにゃけど、あのお客さん、どぉしたらええと思う？」

　また、仲居さんにも、

「あのぉ、えらいすんまへんけど、聞きたいことがありますにゃけど？」と情報収集をします。あまりしつこく私が聞くので、

「何を、聞きたいのんえー、今忙しいにゃさかい用があんにゃったら早よ聞いて」と言いながら、あっさり「あぁ、あのお客さんはなぁ」と教えてもらいました。

　私は現役の頃、忙しくて時間の余裕がありませんでしたので、初めてのお客様に対しては、どういうふうに接すればいいかを早く判断しなくてはならず、お客様の情報が欲しかったのです。お茶屋さんのおかあさんも、奥向きの方も、それからは私がお座敷に上がる前に情報を耳に入れてくださいましたので、仕事はスムーズに運びました。奥のスタッフは意外に多くの情報を持っているのです。

置屋でのチームワーク——女衆の奮闘

置屋とは芸妓、舞妓、女衆を置き、年季奉公をさせます。舞妓や芸妓の見習いである仕込みが早く自立できるように舞や邦楽、茶道などのお稽古を習わせ、しきたりを教える役割を持っています。テレビや舞台の世界でいえば「芸能プロダクション」に近いかもしれません。一人前の芸妓、舞妓として舞台やお座敷を勤められるように我が子のように育てるのです。

置屋には芸妓、舞妓の他に、仕込み、小母、女衆がいて、それらの人をまとめているのが「おかあさん」と呼ばれる女将です。

置屋の朝は女衆が門前や玄関を掃除して打ち水をすることから始まります。芸妓、舞妓は毎日、朝からお稽古に出かけますので、下駄を揃えておくのも仕事です。次に女将が使いやすいように仏壇や神棚を整えます。舞妓になる前の仕込みの子も学校に行く前に女衆の仕事を手伝います。岩崎では常時女衆が二人いました。朝ご飯の後、仕込みが学校に行き、女衆は掃除、洗濯、買い物と忙しく働きます。

小母は女将の補佐役、マネージャーです。前日のお花代を帳簿につけ、女将の指示に従ってその日のお座敷のスケジュールや冠婚葬祭の段取り、また芸妓、舞妓が着ていく衣装の準備もします。

女将はふつうの会社でいえば経営者です。前日のお座敷のお花代に目を通し、お座敷の段取りや呉服屋さんを呼んで衣装の相談をします。その日着る芸妓、舞妓の衣装を決めるのも女将の仕事です。

置屋の皆が一堂に揃うのは昼ご飯の時です。芸事のお稽古から帰ってきた芸妓、舞妓を交えて昼ご飯を食べながら、その日のお座敷のスケジュールを確認します。午後はお客様やお茶屋の女将、姐さんたちへご挨拶に伺ったり、病気で休んでいる方へのお見舞いへ出かけます。私はその時間を使って新聞や雑誌、話題の本を読み、また美術館や図書館へ出かけていって情報収集もしていました。

夕方、一斉におこしらえが始まります。舞妓、芸妓はお風呂から上がり、自分でお化粧をします。また、舞妓は地毛で髪を結います（髪は中四日から五日で結い直してもらいます）。

短時間で用意ができるように女衆や小母が、衣装、かつら、櫛、髪飾り、その他の小物など必要なもの一切を順序よく並べ、そこへ男衆《おとこし》さんがやってきて次々に着付けが始まります。

男衆さんとは、お披露目や杯事、人事の節目にお茶屋さんや置屋の相談役になる人。置屋には住んでおらず、「岩崎」では「末広家」さんというように決まった男衆さんがいて、舞妓、芸妓の衣装を着付けるために毎日通ってきます。衣装は全部で二十キロほどの重さになり、帯は男衆さんが後ろから全身の力を込め、着付けられる側も足を踏ん張って締めてもらうくらいの力仕事。舞妓や芸妓が一人で衣装を着ることはできません。

余談ですが、いつだったか有名な歌舞伎役者の方が舞妓の一人と恋愛関係になったと写真週刊誌にスクープされたことがありました。二人が写っている写真が掲載され、「これが密会後の動かぬ証拠」と書かれていましたが、私はその写真を見て笑ってしまいました。なぜなら当の舞妓さんはお座敷に出る格好をしていたからです。これが密会後ならどうやってこの子は二十キロもある衣装を一人で脱いだり着たりできたのでしょう。それができたら神業《かみわざ》です。この噂が真実かどうかは別にして、この写真が密会後というのだけは「絶対違う」と私は断言できます。

女衆さんはもう一度、外のお掃除をし、打ち水、盛り塩をしておこしらえを終えた芸妓、舞妓がお座敷に出るのを見送ります。店出しや儀式の時には女将は火打ちをします。夜は、芸妓、舞妓がお座敷から帰ってくるのを迎え、衣装を整理し、しまってからやっと置屋の一日が終わるのです。

表に出る人間を見えない部分で支えているのが置屋という裏方。午前、午後と忙しくそれぞれの役割をこなして動き回っています。てきぱきとおこしらえの準備をしていた「岩崎」の女衆や小母の姿を思い出すたびに「最強のチームワークやったなぁ」と感慨を覚えます。

ちなみに置屋には男衆さんの他には、菩提寺の住職、呉服屋さん、お店の掛け取りの店員さん、仕出しのお料理屋さんなどの男性以外は出入りできません。もし、女将さんが、結婚していて夫や子どもがいる場合は別宅を持っています。また、お神酒《みき》以外のお酒は置かないのがルールです。

お茶屋さんのチームワーク——下足番、お燗番の人たちは縁の下の力持ち

お茶屋は、お客様がお料理をいただき、芸妓、舞妓を呼ぶお座敷のこと。京都の花柳界は一七世紀の中頃（江戸時代初期）、八坂神社や清水寺に参拝する人にお茶をもてなした水茶屋を起源に、やがてお酒やお料理を出すようになったとされています。同時に三味線を弾いたり、歌舞伎踊りを踊る茶汲み女が登場、これが芸妓の始まりといえるでしょう。「都をどり」で、お茶席が設けられるのはこの由来によるものといわれています。

祇園甲部のお茶屋さんの中で最も歴史が古いのが「一力茶屋」。歌舞伎「忠臣蔵」で大石内蔵助が敵の目を欺き、わざと敵打《かたき》ちの意思はないことを見せるために遊女を呼んで豪遊したのがこの「一力」とされています。私たちは「一」と「力」をつけて「万亭」と呼んでいます。「万亭」に遊女を呼んだということですが、祇園甲部に遊女はおりません。またお客様がお茶屋さんに宿泊することもないので、史実とは違う歌舞伎だけのことです。

お茶屋さんにはいくつかのお座敷があり、季節によって床の間の掛け軸、お花、花器、

香合などがお客様、席の用途（接待なのか、プライベートで楽しまれるのか）に合わせて掛け替えられます。

それを差配するのが「おかあさん」と呼ばれるお茶屋の女将さんです。初めてのお客さまだと、まずお座敷のしつらいを見て、何も知らなくても、「あ、今日のお客様はこういうしつらえ方が好きな人やにゃなぁ。ほしたら、お座敷をこういうふうにもっていこか」などと考える材料になるのです。おかあさんとの「あうんの呼吸」とでも言うべきでしょうか。その下に仲居さんが控え、またお燗番、下足番も大事な裏方の仕事をしています。

裏方は、一瞬お客様の顔を見ることはできますが、実際にはマジマジとお客様の顔を見ることはありません。でも熱燗がお好きな方なのか温《ぬる》めがお好きな方なのかを知っています。それに加えてその日の気温、またその日のお座敷までの距離も考えてお燗をつけているのです。お客様の目に触れないこんな部分で、小さな心遣いで奉仕している人がいるのが祇園甲部のサービスといえるでしょう。

お茶屋さんのおかあさんと仲居さんは、舞妓や芸妓の顔を見て、「このお客さんには、こうしといてんかぁ」とさりげなく伝えることがあります。そこで私たちは、お茶屋さんのおかあさんや仲居さんにお座敷の状況を正しく聞くことで、よりよくお座敷を勤めることができるのです。また、お茶屋さんには経営者、政治家、学者など、代々のお出入りの客層があり、それぞれの持つ独特の雰囲気を醸し出しているのです。

芸妓、舞妓、お座敷での役割分担

実際にお座敷に出る芸妓、舞妓はお客様をおもてなしするためにできる限りのことをするのが仕事です。現役時代、私は一日だいたい十軒ぐらいのお座敷に出ていました。車で祇園甲部のお茶屋さんから違うお茶屋さん、お料理屋さんまでの数十メートル、せいぜい数百メートルといった近い距離をタクシーで移動していました。それでもひとつのお座敷にいることができるのは長くて三十分ぐらい。場合によっては十五分ぐらいで次のお座敷に行かなくてはいけないこともありました。

短い時間で座を盛り上げ、お客様に楽しんでいただくのは一人の力でできることではありません。舞妓時代からあらかじめ、先輩の姐さんを何人かお座敷に呼んでもらうようにお茶屋さんにお願いしていました。若い舞妓も一人交え、お座敷によって人数も違いますが、先輩の姐さん、中堅の姐さん、私、舞妓というチームでおもてなしします。

○無邪気なキャラクターが身上の舞妓

その中で自《おの》ずから役割分担ができてきます。舞妓はたいてい十代ですから無邪気に思ったことを率直に言う「おぼこさ」が身上ですが、限度があります。

舞妓時代にこんなことがありました。舞妓は未成年ですからお酒は飲めません。ただ、ジュースだとその場の雰囲気がそがれるので、お番茶を冷たくしてウイスキーのようにして飲むのですが、そのお番茶のウイスキーを注いでもらっている時、同僚の舞妓が、仲居さんが持ってきたばかりのコップを指して大声で、

「あ、手垢がついている」と言ったのです。私はとっさに、

「もう帰りよし！」と言いました。大きな手垢がついているわけでもなし、まさに今、お座敷が始まろうとしている時だったので、お客様やお茶屋さんに対して失礼だと思いました。無邪気にもほどがあるのです。

○芸妓の役割

一方、年上の姐さんはそんな舞妓を時にはあやしながら、お座敷全般の雰囲気を見守るリーダーの役目を果たします。

お座敷の雰囲気をそれとなく他の芸妓や舞妓に知らせることも大事な役目です。たとえば、今日のお座敷は気楽な席ではなく、重要な商談をしていると感じた場合、芸妓が一人で襖のそばに待機します。お座敷の外で誰かが近づく物音がしたら、それとなく咳払いをして、人がやってくるのを知らせたり、仲居さんが「どんな、具合？」とお座敷の様子を見に来た場合は、「まだ」「もうすぐ」と手で合図することもあります。

お座敷の空気を読み取るのは多くの経験を積んだ姐さんだからできることです。気楽な席の場合、姐さんに最初を任せて私は別のお座敷に伺い、途中から参加することもありました。また、前のお座敷に戻ってきたりもしますし、ケースバイケースで対処します。

無邪気な舞妓、座を盛り上げる役目の芸妓、それを見守る先輩の姐さん、言葉で打ち合わせをしなくとも、お互いに理解し合って自分の役割をこなす、これが花柳界独自のチームワークです。自分の役割は年齢と経験から自然にわかるものです。

芸妓も年齢によってお化粧の仕方を変えていきます。中堅どころと若手では紅のさし方などが違うのです。これはその時々で自分の役割を瞬時に知ることにもなります。

いい仕事をするために自分の持ち場をわきまえて、その場でできることをしっかりすることは花柳界に限らず大切なことではないでしょうか。

街全体で舞妓を育てます

お座敷が終わって自分の家に帰り、化粧を落とす一瞬、それは私が一番ほっとする時間でした。またこの時間は私の反省会の時間でもありました。

「今日のお座敷はここがあかんかったなぁ」

「あそこであぁ言うたらよかったかなぁ」

と自分で自分にダメ出しをします。お座敷のチームワークを誰かが乱した時には、意見を言うこともありました。これは先輩だとしても「姐さん、すんまへんけど、こうしてほしい、おたのもうします」とハッキリ遠慮せず言います。後輩または同僚でしたら、「さっきのこういうとこはあかんし、気ぃつけてなぁ」と注意します。

こんなことがありました。私の筋の人ではなかったのですが、ウイスキーの水割りを、お盆にのせずそのままコップを手盆で持ってこようとしたところを偶然見た時のことです。（えらいこっちゃ）と思ったので、ちょうどお客様の口に当たるところを持ってきた子に、

私は、

「ちょっと、待ってぇ、もう一回、うちが作ってみるしぃ。見といてなぁ」と言って作り直し、お盆の上にのせてお客様に持って行きました。その子は、何を勘違いしたのかわかりませんが、次の日、その妓の姐さんのSさんから呼び出しがありました。

「こんにちはぁー、峰子どすぅ」

「あんた、いつからえろなったん？　うちのもんに何や知らんけどえらいイケズしてくれたんやてなぁ」

「イケズ？　いっやぁ、姐さんの妹さんてものすごお行儀が悪いのどすね。うちは、姐さんとちごて、お客さんの口に入るもんに自分の手垢はつけしまへんし、教えたつもりどしたけど」

「あんたは、ほんまに生意気やわ。もぉー帰ってんか」

「はい、わかりました。ほな、さいなら」と言って帰ってきました。

おかあちゃんにこの話をすると、

「峰ちゃん、Sさん姐さんは、あてより上やろさぁ。本家のおかあさんに言うてもらおぉ」

「おかあちゃん、そやけど一人の人がお行儀が悪いだけやし、事がおおきぃーならへんか？」

「あのなへぇ、おかあちゃんは甲部の人間が、皆お行儀が悪いと思われるのが嫌やにゃ。わかるやろぉ」

「そぉーやんなー!!」と言って本家に行きました。どの姐さんにも本家筋というものがあります。私の本家、坂口のおかあさんは、

「承知。あっちの本家に話ししてきまっさ」と出かけて行きました。一時間ほど待っていると、坂口のおかあさんが戻って来て、

「ちょっと、待っててやぁ」とおっしゃるので待っていると、

「こんにちはぁ、おかあさん、おいやすか？」昨日の行儀の悪い舞妓を連れて、Sさん姐さんの本家のおかあさんと姐さんがやってきました。

「どぉーぞ、お上がりやす」

「おかあさん、えらいすんまへん」

「うちの、峰子がいつえろぉなりました？　祇園甲部のことを考えてお行儀を教えんのは、先輩の役目どす。違いますか？　それを、ゆわはんにゃったら、自分の妹にもっとお行儀

を仕込まなあきまへん。あんたが、生意気やにゃないか？」

「そぉーどした。えらいすんまへん」ということもありました。

祇園甲部のシステム

祇園甲部全体も見事な連携プレーによって成り立っています。

たとえば、お客様がお茶屋さんで芸妓を二人呼んで遊んだとします。お茶屋さんはその日、出入りのあった芸妓、舞妓の料金（花代）を帳場で整理し、次の朝、お茶屋さんの玄関脇の小さな箱にお花の本数（祇園甲部では一時間を十二本とし、五分ごとに分割します）を書いた紙（紙券）を入れます。

それを祇園甲部芸妓取扱所（検番。事務局からは独立した組織）が収集して歌舞会の事務局に報告します。祇園甲部歌舞会事務局はその日のうちに仕切り（売上高を書いた小さな紙）を配布、置屋に花代の本数に間違いがないかどうかを確認した後、間違いがなければ事務局はお茶屋さんに置屋への支払を命じます。

一方、お客様に対してはお茶屋さんから請求書が届きます。お客様の料金は銀行から振り込まれますが、昔は年末に一回集金に行ったものです。また、最近ではコンピューターでお花代が処理されることも多いということです。

　このやり方は明治五年に「財団法人　祇園女子職業訓練所会社」ができ、お茶屋組合、芸妓組合、歌舞会ができた時に整えられたもので、極めて明瞭な会計システムだと思います。祇園甲部では街全体がチームワークを発揮しています。

第八章 祇園がくれた思い出

岩崎のおかあちゃんが教えてくれた大切な言葉

物心ついた頃から祇園甲部で暮らし、もう五十年近くの歳月が過ぎました。引退した後もあれこれのつながりがあり、今も祇園甲部の近くに住んでいます。街をゆけば馴染みの店から声がかかり、私にとって祇園甲部は大切なふるさとなのです。中でも一緒に舞妓、芸妓としてお座敷や舞台を勤め、ある時はライバル、ある時は友達としてつきあった仲間や、先輩・後輩の人たちとの思い出が心に生きています。祇園甲部の芸妓、舞妓の結束は固く、今でも折に触れては食事をしたり、おしゃべりの花を咲かせます。

この章ではそんな祇園甲部の姐さんたちや同僚のエピソードに触れてみたいと思います。芸に厳しく自分に正直に生き、でもちょっとユーモラスな、女たちの姿から祇園甲部の暮らしぶりを理解していただけたら嬉しいと思います。

昭和四〇年三月二六日に私が舞妓になった時、祇園甲部には六十三人の先輩の舞妓がいました。芸妓さんを含めると八百人ぐらいいました（現在は百人ぐらいです）。戦前、戦後を通じて祇園甲部が最も賑わった時代で、素晴らしい姐さん方が大勢おられました。由緒ある置屋「岩崎」の跡取りとして店出しするなど最初から華々しかったこともあり、再三、イケズされたことをなつかしく思い出します。店出しの初日から六日経った「都をどり」の頃からイケズが始まりました。

初めてのお座敷で姉に恥をかかされましたが、このイケズは現役を引退するまで続きました。お茶屋さんのおかあさんにも、一年間の「お出入り禁止」に遭い、同僚や先輩にはお座敷に出るたびに無視されたり、お稽古場ではお稽古の道具がなくなったり、偽りの伝言で違うお座敷に行くように仕向けられたり、「なんでやさ！」と思うようなことがたびたびありました。十五歳の頃は、人を疑うということを知りませんでした。イケズをイケズと思えない性格で、要するに何でも単純に思い込むタイプのようです（おめでたい性格なのだと思います）。

しかし、数カ月が経った頃に「何かおかしいぃ？」と猜疑心を持ち始めたことによって精神的な修業をさせていただいたと思っています。岩崎のおかあちゃんに何度も相談しました。私の気持ちをよく理解していて、

「峰ちゃんは峰ちゃんの生き方をしたらええにゃ。そやけど、出る杭は打たれるちゅうことを考えとおきやぁ」

と言ってくれました。この言葉に「ほな、もっと出て打たれへんようにしよ」と自信を持つようになりました。

余談ですが、おかあちゃんは私の小さい時から、毎年、誕生日には贈り物と一緒にメッセージをくれました。心に残っている一番のメッセージは、十九歳の時にいただいたメッセージです。

「私が大切に思う言葉に『らしく』という言葉があります。男は男らしく、女は女らしく、人は人らしく、らしくということを大事に生きてください」

と上手なかな文字でメッセージが書いてありました。ありがたい言葉だと今も思っております。果たして私はそのメッセージのように「らしく」生きているのでしょうか?

潔かったHさん姐さんの思い出

京舞井上流には「許し物」という、名取りにしか舞えない舞があります。私は舞にのめり込み熱中していましたので、姐さんたちのお稽古を拝見するのが大好きでした。お座敷でも見て覚えてしまった「許し物」の舞がいくつかありました。若かった私は舞ってみたくてたまらず、ある日、気の置けるご贔屓のお客様のお座敷で、その舞を舞ってもいいかどうか、姐さんにお伺いしました。

「Hさん姐さん、うちは、姐さんの『七つ子』も『猩々《しょうじょう》』も好きどすにゃけど、うちは、いつになったら舞えますにゃろ？　もしかまへんかったら、どっちかひとつ舞わしてくれやらしまへんやろか？　あきまへんやろねぇ。そやけど、そこをなんとかおたのもうします」すると姐さんは気安く、

「はぁ、かまへんえ。そやけど誰にも言うたらあかんえ、後で祇園小唄一緒に舞おなぁ」と言ってくださいました。私は、これほど嬉しい日はありませんでした。

Hさん姐さんは、もう亡くなってしまいましたが、当時四十代後半の祇園甲部の名妓と言われた方でした。着物のセンスが抜群で、いつも趣味のよい着物を着こなしていらしたので、私は姐さんの着物を見て密かに研究したり、着物を作る時には参考にさせていただきました。

ある日のことです。お茶屋さんで姐さんに会ってびっくりしました。帯が同じ柄の色違いだったのです。花柳界では先輩の姐さんと同じ柄の着物でお座敷に出るというのはとても失礼なことです。私は、

「姐さん、えらいすんまへん。今すぐ着替えてきます」と家に戻ろうとしました。すると、Hさん姐さんは、

「いや、どうもあらへんやん」と言って、

「今日は峰子ちゃんとお揃いやしぃ」と周囲の人に言ってくださいました。恐縮して、でもとても嬉しくて姐さんの後をついて回ったのでした。とても気風のいい心の大きい姐さんでした。

巴御前は軽トラックに乗って

毎年一〇月二二日に「時代祭り」と「鞍馬の火祭り」があります。花柳界に関係があるのは「時代祭り」です。ある年、妙なことがありました。

私の二つ先輩の舞妓さんが巴御前に扮することになった時のこと。行列は次々に出発するのに、どういうわけか巴御前の馬だけが来ないのです。その時、私は紫式部でした。

「馬が来いひんにゃー。なんでやろー？」

と役員さんがイライラして待っていると、向こうのほうから軽トラックが来ます。それも青い色で塗られた車です。で、役員さんが「巴さん、巴さん」と呼びました。私は巴御前に扮する先輩に、「嘘くさぁー。あれに乗らなあかんにゃわ。かわいそやなー」と言うと先輩は真っ青になって、「嘘やん。あれに乗んにゃろか？」と絶句。

しかし、そのまさかだったのです。何かの手違いで白馬が遅れ、しかたなく軽トラックが用意されたそうです。先輩は泣く泣く、青い軽トラックの荷台に乗りましたが、追い討ちをかけるように、長刀《なぎなた》ではなくなんと「巴御前」と書いた旗まで持たされて時代祭りの行列に加わりました。

その笑いも引かないうちにまたハプニングが起きました。紫式部役の私は、清少納言に扮した同僚と前後して輿《こし》に乗っていました。すると歌舞会事務所のおっちゃんが、私の輿に走ってきて、

「峰ちゃん、かんにんやけど、Sちゃんがおこし落とさはって入れるとこがないさかい、峰ちゃんの長袴《ながばかま》の中に入れてほしいにゃけど」と言うのです。和気広虫《わけのひろむし》に扮していた同僚が、御所の正面で、なんとおこしを落としてそれをどこにしまったらいいか困っているのだそうです。

「いややぁ、かなん！　くさいやん!!」

「そやけど、どっこもあらへんしぃ。かんにんやけど、入れさして」

困った私はそれを、前にいる清少納言役の友達に言うと迎え風だったらしく彼女には、私が言っていることがなかなか伝わりませんでした。ついに彼女は私のほうを向いて「どぉおしゃはったん」もう一度同じことを言うと、彼女は、檜扇《ひおうぎ》で顔を覆うと笑い出し、二人で輿の上で大笑いをしていると、御所の正面をすでに通り過ぎていました。

東京・新橋のまり千代さん姐さんと海老のテンプラ

おかしいのは祇園甲部の芸妓だけではありません。東京の新橋にまり千代さん姐さんという名妓がいらっしゃいました。新橋演舞場に橋本明治画伯が描かれたまり千代さん姐さんの肖像画が残っているくらい、すごい名妓でした。私はこの姐さんに憧れていました。

私が、十六歳の五月、東京のパーティに呼ばれた時のことです。まり千代さん姐さんはすでにおいでになっていらっしゃいました。もうドキドキして後についていくと、ニッコリ笑って「あぁたが、峰子ちゃん。よろしくね」と言ってお話ししてくださいました。

さらについていくと、姐さんはテンプラのコーナーに近づいていって、係りの人に「わかってるわよね」と言うのです。心得たようにテンプラ屋さんの人は海老のテンプラを揚げます。

一匹、二匹、三匹、四匹とテンプラが揚がっていきます。小さいテンプラでしたが、どんどん食べていってとうとう六十匹ぐらい召し上がったでしょうか。海老のテンプラが姐

さんの大好物だったのです。あっけにとられて見ていた私が、「姐さん、お腹どぉーもおへんか？」と聞くと、

「大丈夫よ。海老のテンプラは最初にしっぽを食べとくといくら食べてもお腹をこわさないのよ」

と平然としています。それ以来、私は海老のテンプラを食べる時には周囲の人に、

「最初にしっぽを食べるとなんぼ食べてもお腹がどぉーもおへんにゃて」

と言うようになりました。それにしても見事な食欲でした。本当にしっぽを食べるとお腹をこわさないかどうかはわかりませんが、私の胃は今でも何ともありません。

東京芸大は芸者さんの行く大学？

こんな思い違いをしていたことがあります。私は「都をどり」や「温秋会」では小学校の五年生まで子役で舞台を勤めていました。都をどりの作曲は東京芸大の先生が担当されており、その中に写真を撮るのが非常に好きな先生がいらして、よく私を撮ってくださいました。私の小さい時の楽屋での写真はその先生のスナップ写真が多いのです。

何歳の頃かは忘れましたが、おかあちゃんに、

「とぉーきょー（東京）の芸妓さんは、ええなぁ」

「なんでぇーえー？」

「とぉーきょーの芸妓さんは、大学があんにゃろー？　なんで、祇園甲部は女紅場やねぇ？」

「東京芸大か？」

「ふん」

「東京芸大は、いろんな芸事をみんなに教えたはんの」

「なんで、女紅場は大学と違うのん？」

「むずかしいなぁ」

という会話をしていて、結婚するまですっかり東京芸大は東京の芸者さんの行く大学だと思い込んでいたのです。結婚する間際になって東京芸大出身の主人に尋ねました。

「何で甚ちゃんは、芸者さんの大学に行って絵ぇの勉強してたん？」

「何で僕が芸者さんの大学に行かなくちゃいけないの？」

「そぉーかて、京都芸大は絵描きさんが行かはる大学やけど、東京芸大は芸者さんの大学と違うのん？」

「違うよ」

「ほんまにぃ？　そやけど都をどりは東京芸大のせんせが、作曲しゃはんねぇ？　ほんで、女紅場にも教えに来たはるし」

「東京の芸者さんは来てないよ」

「いっやぁー、ほなどこでお稽古したはんにゃろ？　おかしいなぁー」

「東京芸大は国立で、日本画、洋画、クラシック、邦楽って、いろいろな芸術家を育ててるんだよ」

「いっやぁー、うちら知らんかったぁー」

という会話になったのです。そこで初めて東京芸術大学がどんな大学かわかったのです。

――やはり祇園甲部にいるとどこか世間離れしてしまうのかもしれません。

祇園甲部ではおたふく風邪を郵便局で治します

浮世離れしているといえば、こんなこともありました。小さい頃、おたふく風邪になった時のことです。「病院は、いややゃあー。注射打たなあかんもん」と怖がっていたのですが、なんと連れていかれたのは郵便局でした。どういうわけか祇園甲部ではおたふく風邪は祇園郵便局でスタンプを押してもらうと治ると信じられていたのです。「おたふく風邪です」と言うとおばちゃんが膨れ上がったほっぺたにポンとスタンプを押してくれました。「これでどーもないわ。すんぐに治るし」とおかあちゃんはにっこりしていました。

この話を長い間忘れていたのですが、最近、フランス料理のレストランに行くとオーナーの方がわざわざ厨房から出てきて私に聞きました。

「あのぉ、祇園甲部の方ですやんねぇ」

「いっやぁー、なんでわかったんやろ？　そぉーどすけどぉー」

「ちょっとお伺いしたいことがありますにゃけど、おたく、おたふく風邪にならはった時はどこで治さはりました？」

「どこでて、決まってまっしゃろぉー」

「ほれな、祇園郵便局でスタンプ押してもらわはったんやぁ」

「そら、そぉーしてもらわな治らしまへんやん」

「ほんまやいうてもお客さんが信じてくれはらしまへんねん」

「いやっ、なんでやろ？　祇園郵便局でスタンプ押してもらわへんかったら治らしまへんやん」

「やっぱり、そぉーどすわなぁー。おおてんにゃん」

こんな不思議な言い伝えを知る人も最近では少なくなったようです。

舗装道路は細い？　広い？

私が舞妓の頃、お客様が舞妓や芸妓数人を食事に招待してくださることになりました。タクシーに同乗したのは、子花さん姐さんと地方の大先輩のお房さん姐さんと私でした。途中で、道路がきれいになっているのに気がついた子花さん姐さんが、

「いっやぁー、この道、舗装しやはったんどすねぇ。きれぇーになって」

と言うと、すかさずお房さん姐さんが、

「子花ちゃん、この道はひろぉきれぇーにしゃはったんえ（広くきれいにしたのですよ）」

と言います。

「姐さん、そやさかい、きれぇーに舗装しやはったんどっしゃん」

と子花さん姐さんが言うと、

「いやいや、ほそぉしゃはったんと違うにゃ。ひぃろぉーお、きれぇーにしやはったん。

子花ちゃんそんなこと言うてたら笑われるえ。ひろぉーおしゃはったん！」と言います。「細ぉ」と「舗装」が同じなのでこんな会話になったのです。私は、姐さんたちの会話がおかしくて、お腹をよじって笑ってしまいました。

実は、大きい姐さんの会話を大笑いするなどとんでもないことなのですが。姐さんたちの会話は、どこまでが本気なのかわからないところがあり、何ともいえないおもしろさを醸し出すのです。この日は全員が鮎を十三匹ずつ食べましたので、全部で百五十四匹にもなり、お店の鮎がなくなる始末で、そのお客様は二度と私たちを同じお店に連れていってはくださいませんでした。今もそのお店へ向かう道を通るとこの時の話を思い出して、つい思い出し笑いをしてしまいます。

私の親友のおかあさんでかつて芸妓をしていらした方がいます。その方が現役で活躍されていた頃、一人で電車に乗ることになったそうです。阪急の四条河原町から大阪の梅田まで行ったそうですが、駅に着き、切符の買い方がわからなかったので駅員さんを呼んで、

「あて、初めてどっさかいわからしまへんねぇ」

「はい、わかりました。どぉーぞぉこっちぇ」

「おたく、すんまへんけど、うちが行く梅田までの切符買うとくれやすか？　えらいすん

まへんなぁ」

と言いながら上手に駅員さんを使い、切符を買わせ、その駅員さんに、その切符を自動改札口に入れさせ、うやうやしく「おぉーきにぃ。はばかりさん」とお辞儀をして改札口を通りました。梅田に着いた時、梅田の駅員さんに、

「あのーぉ、あて、山本どすけんど、もぉーあての切符ついてましゃろか？」

と言ったそうです。駅員さんは、

「はぁ？」

私も人のことは笑えません。新幹線で上京する時も切符は誰かが買って持ってくれて、私はすーっと改札口を通るだけですから、今でもよく自動改札口で切符の取り忘れをします。

ゆり子さん姐さんの思い出
――無言参りと千年の恋

最初にゆり子さん姐さんと会ったのは私が七歳の時。寒い冬の日、舞の稽古の控えの間で火鉢にあたっていると、見たことのない仕込みさんが襖の際に座っていました。それが十三歳のゆり子さん姐さんです。井上流では年齢に関係なく一日でも先に入門した人が先輩なので、私は、

「火鉢におあたり。お名前は？」と声をかけました。

「目久田多鶴子」

「めくちゃんか。どっから来たん？」

「珠洲《すず》（石川県）から」

「ふーん、きれいなお名前のとこから来たんやなぁ」そんな会話から仲良しになりました。

後で知ったことですが、ゆり子さん姐さんは、代々網元の家に生まれたのですが、お父さんの事業が失敗するなど苦労をして、義理の母親が祇園甲部でかつて芸妓をしていた関係

で祇園にやってきたのだそうです。苦労したにもかかわらず、姐さんは気立てがよく稽古事にも熱心でした。後でゆり子さん姐さんは「十二歳からの祇園甲部の暮らしはとても楽しかった」と涙ながらに語ってくれたことがあります。

姐さんは舞妓に出るとすぐに祇園甲部の人気者になりました。不思議なことに姐さんをご贔屓にするお客様は必ず出世するのです。最初は若手だった人でもたちまちビッグになられます。姐さんにはそんなご贔屓が何人もいらっしゃいました。私はゆり子さん姐さんが大好きで、実の姉のように慕っていました。

襟替えをして二年目のことです。私が皇女和宮、ゆり子さん姐さんが女官、私の手を引いて舞台に上がろうとした時、なぜか私の足が動きません。振り返って見ると私の長袴の裾にKさん姐さんが、乗っていました。

「峰ちゃん、出とうみ」

「いやっ!」必死に長袴を引っ張りましたが、姐さんの体重が勝っています。右の長袴を引っ張ると今度は左の裾に乗っています。

「イッヒヒー。はよ出よし」必死に左足を引っ張りようやく「ほっ」として舞台に上がれると思いました。もう一度、型を建て直し檜扇をしっかり持って舞台に上がると、今度は檜扇の房を姐さんが引っ張っています。私は思わず檜扇を引っ張ると、姐さんがパッと檜扇の房を放しました。その弾みで、ゆり子さん姐さんの顔にバシッとあたりました。ゆり子さん姐さんは、舞台の上で、

「何ぞうちに恨みでもぉー」

「なーんにも。すんまへん」と笑いながら舞台に出てしまいました。観客席のお客様も舞台を見て笑いだし、私たちも最後まで笑いが収まらず、本来悲しいはずの有栖川宮との別れの場面を、明るく別れてしまいました。

その、ゆり子さん姐さんには密かに好きな人がいました。祇園祭りには「無言参り」という風習があって、毎年七月一七日から二四日、八坂神社の神様が担がれ四条通りの「お旅所」に鎮座する七日間の間、黙ってお参りをして願掛けをするのです。

ゆり子さん姐さんが「無言参り」をしていると風の噂で知った私は早速、「無言参りて、どぉーしたらええのどす？」と聞いてみました。すると姐さんは、

「無言参りは人に知られたらあかんの。三年間続けて、内容もしゃべったらあかんねぇ。他の人と目を合わしてもあかんし、わろてもあかんのんぇぇ」

と言い、日本人離れした、目鼻立ちのしっかりした顔、きれいな瞳で私に微笑みました。

姐さんの願い事がわかったのは、その二年後のことでした。長い間想いを寄せ続けた人がいてその人と結婚したいというのが彼女の願いでした。想いは強く他の人からのプロポーズにはいっさい目もくれませんでした。しかし、不幸にもその恋は悲恋に終わりました。

私が引退する年の「都をどり」でゆり子さん姐さんの舞を見ていた私は、彼女のしぐさがいつもとは違うと感じました。

「ゆり子さん姐さん、体の具合が悪いのと違いますか？」

とお医者様に行くようにすすめましたが、姐さんは、なかなか病院に行かずにいました。私が強引に言って、やっと精密検査を受けた時はもうかなり体の調子は悪かったようです。手術して病巣がかなり広がっていたことを知った時、私は悲しみのどん底につき落とされました。体調が戻らないまま、よく私の店にやってきました。すべてを知っていた私は、ビールを飲もうとする姐さんにさりげなく、

「今、こんなおビールが出てますんねん。ちょっと飲んどぉーみやすか？　ちょっと、甘いかもしれへんけど、これ飲んどぉーきやす」

とノンアルコールの清涼飲料水をすすめました。一口飲んだ姐さんは、

「へぇ、おもしろいもんが出たんやなぁ。峰ちゃん、なんかうち、酔ってきたみたいぇ」

などと言っていました。私は胸が張り裂けそうでしたが、明るく、

「そうどすかぁ。姐さんはこれからこれにおしやす」

そうすると、

「ほな、そぉーするわ」

と姐さんはうなずき返しました。いくらか経って予断を許さなくなった日、私は東京に行く用事ができました。友人の一人である西郷輝彦さんの初舞台のお祝いに行ったのです。

「姐さん、西郷ちゃんが初舞台を踏まはりますし、行ってきますわ。すぐ帰ってくるし待ってとくれやすね！」

と言い残して上京したのですが、西郷さんの楽屋に着くやいなや、電話が鳴りました。すべてを悟った私は、

「西郷ちゃん。これ私の電話やわ。寄せてもろたとこやけど、帰らしてもらいます。また寄せてもらう、かんにん」

西郷さんは、「え？　どうしたの？」と電話を取ったのですが、何事かうなずくと黙って私に受話器を手渡しました。急いで京都に戻った私は病院で安らかに眠る姐さんに対面しました。

ゆり子さん姐さんが亡くなったのは一九八一年九月二二日。まだ三十七歳という若さでした。

最後まで恋人のことを想い続けていたゆり子さん姐さん、恋人も密かに病院に通い、看病をしていました。彼女は亡くなりましたが、彼女の想いは永遠に続いていると私は思っています。

これからの祇園甲部へ

こんな姐さんたちのことを思うにつけ、私が残念に思うのは花柳界が世間一般の人に誤解されていることです。花柳界は男性が女性と遊び、お金で肉体関係までやりとりしている場所という通念がまかりとおっていることを聞くにつけ、一生懸命芸を磨き、お座敷を勤めた先輩の姐さん方に申し訳ないと思う気持ちが強くなります。

私は現役時代から、いろいろな変革を芸妓組合や歌舞会に訴えてきました。「改革派」だとか「赤軍派」と言われて煙たがられてきましたが、私がこよなく愛する祇園甲部がこれからも日本の伝統文化を伝えていく街であるためには、新しい社会に適応したシステムが必要だと思うのです。私は現役時代から変えてほしいと思ってきたことがいくつかあります。

諸外国からお見えになる大勢のお客様を接待する舞妓、芸妓には外国語が必要です。通訳の方が花柳界を勝手な想像を交えて通訳するので、諸外国からお見えになった方には間違った花柳界の認識が植え付けられ、広がっているようです。自分たちの言葉で花柳界の姿を正しく伝えるには、「女紅場」の必須課目に外国語を取り入れることは重要なことです。

もうひとつは、引退した後の舞妓や芸妓の身の振り方を考えなくてはいけないことです。明治時代からの仕組みでは現役時代にどんなに精進しても、引退した舞妓や芸妓は生計を立てていく術《すべ》がありません。他の流派と違い、井上流では名取りになっても人に舞を教えてはいけないし、自由に舞を舞うこともできません。いちいち家元にお断りをしなくてはいけないのです。

ならば誰かパトロンを、と考える方がいらっしゃいますが、この認識が怖いのです。自立した女性にパトロンが必要でしょうか？　国や行政が与える伝統芸能技芸保持という肩書きの後継者を育てるためには、むしろ国や行政がしっかりフォローするのが当たり前だと思います。また祇園甲部の人たちももっと自分たちの立場を意識しなければならないと思います。

祇園甲部で暮らした人の中には、花柳界での経験が役に立つことを理解していない人が多いのも現実です。舞妓時代や年季奉公が終わって、自分の意思で次の仕事をする人や結婚をする人もいます。辞めた方でも花柳界の出身だということを隠す人がいますが、花柳界の意味を自分でわかっていない、もしくは現役の時に自分の仕事を正しく理解していなかったのではないかと思います。世間の人たちの受け入れ方にも問題があると思いますが、それでは先輩方の「芸妓は自立した職業婦人」と教えてきたことが無意味になります。

私は現役引退の三年前から、親友と一緒に祇園甲部でバーをしていました。それ以外に手の打ちようがなかったのです。今でもほとんどの先輩や後輩がバーやスナックをしています。その当時でさえ、私たちができる商売は皆無でした。また、祇園甲部の「学校法人八坂女紅場学園」は専門学校で、高校卒業の資格がなく、ここで研究生としていくら勉強しても学歴にはなりません。舞妓や芸妓はどんなに素晴らしい芸歴があり、お座敷でのキャリアがあっても、引退すればその瞬間から中学卒業という学歴のまま世間に出されるのです。

先年、私はテキサスに住む日本人の方から講演会を開いてほしいという依頼を受けました。そこで国際交流基金の援助を受けて講演会を開こうと、日本画家である夫・岩崎甚一郎とともに準備を始めました。すると後日、交流基金から断りの封書が届きました。曰《いわ》く「ご主人は大学院を卒業なさっているので、すぐに協力しますが、奥様は中学卒業ですので協力はできません」というのです。（どういうこっちゃ？）確かに夫は東京芸術大学大学院を卒業しています。しかし、日本文化に貢献しているという点では私のほうが長い経験があると自負していたので悔しい思いをしました。

ちなみに、中学卒業の資格だけではほとんどの国家資格を受けることもできず、海外の大学に留学することもできないのです。このようなことがないように、日本全国で伝統工芸、芸能を継承している人たちに対して、「マイスター制度」を作るべきだと考えています。現役時代、「峰子さんのようになりたい」と多くの若い女の子たちが私を訪ねてきてくれました。私はこのような現状では若い人たちがかわいそうだと思い、そのほとんどを断ってきたのですが、それでもと望む人にだけ別の姐さんを紹介していました。

たとえば名取りになった芸妓が全国に井上流の舞を教えに出かけていけるようにすれば、生活も成り立っていくと思います。舞妓の希望者には、相談にのってあげるなどすれば新しい祇園甲部の後継者作りもできるのではないでしょうか。

この他にも、舞妓、芸妓は街に出ると写真を撮られますが、この肖像権もないのです。修学旅行の学生や一般のファンの方ならかまわないのですが、商業的に使用される場合は問題ではないのか、などなど、改革派・峰子の心配は尽きないのです。

祇園甲部で遊びたい人のために

この本を読んで「祇園甲部のお座敷で遊んでみたい」と思った方も多いと思います。「でも祇園甲部は一見さんお断りだし、料金も高そう」と敬遠している方も多いと思います。その辺の事情についてお話ししたいと思います。

○「一見さんお断り」というシステム

実際、祇園甲部のお茶屋さんは今でも「一見さんお断り」です。これはお客様の信用を第一に考えるというシステムで、長年の習慣になっています。

もし、祇園で遊びたいと思われたら、京都に詳しい方、祇園甲部に出入りしていらっしゃる方に伺ってみてください。もしその方があなたを信頼しているなら、すぐにお茶屋さんに連絡して、日時を設定してくださるでしょう。どなたかの紹介があった場合、お茶屋の女将さんはその方がいらっしゃらなくても、お席をきっちり用意すると思います。予算に応じて、たとえば五人で行って舞を見たいなら、舞妓さんを二人と芸妓さん一人とか、舞はいらないので話をしたいという場合は年かさの姐さんに出向いてもらうなどの要望も聞いてもらえるでしょう。その辺は気にせず任せたらいいと思います。

○祇園甲部は高い？

それにしても祇園甲部は高いのでは？　と言う方も多いと思います。何が高くて何が安いと感じるかは人の価値観によると思います。私から見るとハッキリ言って祇園甲部は安いと思います。たとえば、お金のかかっていない店でサービスも悪く、お料理もさほどではなくて一万円が安いのでしょうか。祇園甲部では掛け軸、器、お花に至るまで最高級のものを揃えて、一流のお料理が出ます。おもてなしは世界中見渡してもここほどのところはないだろうという最高レベルの接待です。このサービスでこの値段なら安いと断言できるでしょう。

おおよその目安になる料金を紹介しますと、お客様の人数が五人で舞妓二人、地方の芸妓一人をお座敷に呼ぶとします。約二時間の拘束料、お座敷の使用料、お食事、お酒などを含むと約一人分の値段は四万円ぐらいです。

これからは祇園甲部がもっと開かれた場所にならなくてはいけないと思います。そのために祇園甲部や行政も取り組んではいるようです。まだまだ不充分な点が多々あると思います。新しい時代に即応してさまざまな試みを実行し、実現されることを期待しています。

〈著者紹介〉
岩崎峰子　1949年、京都生まれ。4歳のときに京都祇園甲部の「置屋 岩崎」の女将に見初められ、5歳から祇園甲部に住む。11歳で「置屋 岩崎」の跡取りとなる。5歳6月6日から、京舞井上流、京地唄など芸の道に励む。15歳で舞妓デビュー、21歳で襟替えをして芸妓になる。この6年間売り上げナンバーワンとして数々のお座敷や舞台に出演する。29歳で現役引退。1982年、結婚。1984年、日本画の修復を始める。2002年秋、花柳界の暮らしを紹介した自伝『Geisha,a Life』をアメリカで出版、世界13ヶ国で翻訳され、ベストセラーとなり、各国のテレビ、新聞などでとりあげられる。

祇園の教訓
昇る人、昇りきらずに終わる人
2003年7月25日　第1刷発行
2003年8月 5 日　第3刷発行

著　者　岩崎峰子
発行者　見城 徹

GENTOSHA

発行所　株式会社 幻冬舎
〒151-0051 東京都渋谷区千駄ヶ谷4-9-7

電話:03(5411)6211(編集)
03(5411)6222(営業)
振替:00120-8-767643
印刷・製本所:図書印刷株式会社

ISBN 4-344-00358-6 C0095
幻冬舎ホームページアドレス　http://www.gentosha.co.jp/

この本に関するご意見・ご感想をメールでお寄せいただく場合は、
comment@gentosha.co.jp まで。